D1206159

CAMEROUN

COMBAT POUR MON PAYS

TITUS EDZOA

CAMEROUN

COMBAT POUR MON PAYS

Editions Duboiris

Editions Duboiris
67 rue Saint Jacques
75 005 Paris

www.editionsduboiris.com

ISBN : 978-2-916872-29-2

Prologue

L'Histoire d'un peuple, soutenue par sa propre dynamique, est un mouvement qui se construit et se reconstruit en permanence. Le destin qui l'accompagne lui confère toujours un double sens, entendu à la fois comme direction et signification. L'Homme, par le sceau de son empreinte, l'influence tout autant et sans cesse, à travers les multiples choix de son existence.

Il en est ainsi du peuple camerounais aujourd'hui. En pleine involution, il se retrouve hagard, sans perspective d'avenir. Brisés par le désespoir, sèchement sevrés de leurs rêves, ébranlés à l'extrême par une misère tant mentale que matérielle, les Camerounais s'acheminent inexorablement vers un énième rendez-vous crucial de leur histoire, de leur destin – destin dont ils ont d'ailleurs perdu la maîtrise depuis fort longtemps.

Il y a trente-cinq ans, je me retrouvai au cœur d'une extraordinaire aventure politique qui débuta de façon totalement inattendue. Tantôt témoin proche, sans fonction officielle, tantôt acteur de premier plan, j'allais pendant quinze ans avoir le privilège de scruter, d'analyser, avant d'en subir les foudres, le système mis en place par Paul Biya.

Ce système réduit à un petit clan aux allants de bourgeoisie politicienne, féroce et insatiable, fut créé ex nihilo, sous la houlette d'un chef presque divinisé, souvent invisible, étrangement silencieux et de plus en plus indifférent au sort du peuple et à la chose publique. En lieu et place d'un projet de société, il nous fut brandi, à la hâte et à la carte, un slogan scandé à tue-tête, en toutes circonstances, privées ou publiques : « rigueur, moralisation, démocratisation, libéralisation ». Le peuple, euphorique, s'en enivra aussitôt, assoiffé qu'il était de liberté et de démocratie.

En effet, depuis l'indépendance du Cameroun, le 1er janvier 1960, les Camerounais n'avaient réellement connu ni démocratie ni liberté. Lorsqu'en 1982, ils entendirent un dirigeant leur parler de démocratisation, de liberté et de rigueur, ils se prirent à rêver et ne se posèrent guère plus de questions. Par la suite, ce slogan de départ disparaîtra pour laisser la place à une toute autre réalité faite de laxisme, de corruption, de violence et de terreur. Nous assisterons progressivement à la mise en place d'un règne où triompheront l'arrogance et la jouissance ostentatoires d'une clique plus soucieuse de profiter des biens publics que de gouverner le pays.

Le Prince, désormais lové dans une bulle aseptisée, est devenu totalement aphone. Il décide par décret interposé et impose un climat de menace permanente dans son entourage pour mieux le contrôler et mieux le dominer. L'administration, dévoyée de sa mission de service public, participe à l'affaiblissement des institutions républicaines et à l'anéantissant des fondements mêmes de l'État de droit. Le résultat final de cette déconstruction préméditée aura été tout simplement une catastrophe nationale à tous égards.

En 1997, je dénonçai déjà solennellement cette forfaiture. Mes convictions et mes aspirations pour lesquelles j'avais été appelé à participer à l'effort de construction nationale, avaient été trahies. Je pris mes responsabilités en démissionnant d'un gouvernement sans objectif ni ligne directrice. J'assortis cette démission d'une déclaration de candidature à l'élection présidentielle.

Le système et son chef furent profondément ébranlés par cette annonce. Surpris et déstabilisés, ils réagirent par un déferlement de violence contre ma personne. J'allais payer mon audace au prix fort : 17 ans de prison, de torture, d'accusations fallacieuses, d'humiliations... qui allèrent jusqu'à l'assassinat de ma belle-sœur. Ils espéraient sans doute me voir disparaître à jamais mais j'ai résisté et survécu à la machine à broyer.

1. Mon parcours en abrégé

Né le 4 janvier 1945 à Bonabéri (Douala), j'ai passé toute mon enfance à New-Bell, quartier populaire de la capitale économique du Cameroun. J'y menai une vie tout à fait ordinaire pour un jeune Africain de l'époque, suivant des études primaires et secondaires régulières, sous l'autorité bienveillante des Pères spiritains et des Jésuites.

Baccalauréat en poche en 1964 (série philosophie de l'académie de Bordeaux), je m'envolai le cœur léger mais plein d'espoir et de détermination vers l'Italie, à Milan. En effet, je venais de bénéficier d'une bourse d'études octroyée par l'Archidiocèse de ladite ville, dont l'Archevêque, le Cardinal Montini, allait devenir quelques mois plus tard, le Pape Paul VI. Alors que j'étais plutôt littéraire, je fis le pari osé de m'inscrire en médecine et j'achevai ma formation en moins de douze ans...

En 1976, je pris la décision de rentrer définitivement au Cameroun, un cartouche cylindrique sous le bras contenant un précieux trésor : deux papyrus enroulés l'un dans l'autre ; un doctorat en médecine et un diplôme de spécialisation en chirurgie générale. Tête plutôt bien pleine, paraît-il, « dextérité digitale remarquable ». Compliments ô combien flatteurs de mes maîtres ! J'essaierais toujours par la suite de rester digne de l'idée que mes enseignants s'étaient fait de moi et continuerais à donner le meilleur de moi-même pour honorer leur mémoire...

Aussitôt, je me fis chirurgien pionnier et pèlerin à la fois, jusque dans les petits départements et arrondissements du Centre et du Sud de mon pays tels qu'Ebolowa et Ayos, avant de regagner Yaoundé, la capitale. Je pratiquai des centaines et des centaines d'interventions chirurgicales, dans les domaines les plus variés, quelquefois dans des conditions inimaginables. Thérapeutique et enseignement de la médecine iront de pair. Nombre de mes élèves d'hier sont devenus aujourd'hui d'éminents professeurs de médecine et d'université. Leur compétence et leur talent honorent désormais notre patrimoine scientifique et humain.

Je fus également créateur et chef du service de chirurgie infantile de l'Hôpital Central de Yaoundé puis créateur et chef du service de chirurgie générale à l'Hôpital de référence de Yaoundé, président du conseil d'administration dudit hôpital, pionnier et adepte de la chirurgie endoscopique au Cameroun, promoteur et premier directeur de l'École de spécialisation en chirurgie générale de la Faculté de médecine de Yaoundé.

In fine, l'intensité et la dimension de toutes ces activités hospitalo-universitaires, me qualifieront à présenter le prestigieux concours d'agrégation de chirurgie générale à Paris le 7 janvier 1985. Pari réussi. J'avais alors 40 ans.

De nombreuses distinctions scientifiques honoreront cette carrière, notamment la qualité de Membre titulaire du Collège Ouest-Africain des Chirurgiens (COAC), de l'Association Française des Chirurgiens (AFC), de la Société Internationale de Chirurgie (SIC), et enfin Chancelier honoraire des Universités du Cameroun.

Mission accomplie ? Que nenni ! Le destin me réservait encore bien des surprises ; la route était encore longue et allait se prolonger dans un univers qui m'était jusqu'alors totalement inconnu : celui de la politique.

2. Ma rencontre avec la politique

Réfractaire à tout ce qui pouvait concerner l'univers politique politicien, j'avais plutôt décidé de donner un sens à mon existence en servant mon pays par l'intermédiaire de ma profession : la médecine. Par elle, j'aspirais à une existence pleine, guidée et dominée par la notion de valeur. Et par valeur, j'entends toute qualité, toute vertu, pouvant se cristalliser dans le Bien, le Beau, le Vrai et le Juste.

J'ai retrouvé une part de ces valeurs dans la pratique des arts martiaux et en particulier du karaté-do dont je fus un des promoteurs au Cameroun. C'est en 1967 que j'ai commencé à pratiquer le style shotokan qui vient de l'île d'Okinawa au Japon et dont le fondateur fut maître Gichin Funakoshi. J'ai eu le temps d'approfondir mes connaissances et de perfectionner la pratique de cet art martial sous l'encadrement de maître Hiroshi Shiraï et de ses assistants, Hiroshi Shiraï étant lui-même un élève de maître Taïji Kase, un des derniers élèves du maître Funakoshi. Mon passage de grade ceinture noire 1er dan a été sanctionné par maître Kase lui-même en 1976 à Milan.

A mon retour au Cameroun, j'ai enseigné le karaté et organisé très régulièrement des stages de perfectionnement pour des karatékas confirmés à l'Ecole nationale d'administration et de la magistrature (ENAM). Mon expérience dans les arts martiaux m'aidera beaucoup dans l'environnement politique où j'arrivai avec des idées nobles notamment le sens de l'effort, le souci du progrès individuel et collectif, le respect de l'adversaire, l'exigence et la volonté de bien faire, bref, toutes les valeurs acquises en médecine et en karaté-do devaient, pour moi, également guider mon action en politique.

Ainsi, un jour de septembre 1981, je reçus, comme des milliers d'autres avant elle, une patiente en consultation. Elle présentait un goitre récidivant, associé à une pathologie sous-jacente relativement rare : un kyste du canal thyréoglosse de Bochdalek. Je pris l'initiative de l'opérer et les suites opératoires à court et moyen terme furent heureuses. Cette jeune dame n'était autre que la petite sœur d'un homme politique de tout premier plan, le Premier ministre de l'époque, M. Paul Biya. Ce dernier m'invita à son hôtel particulier pour me signifier sa gratitude d'avoir réussi à soigner sa sœur. J'en fus très honoré et pensai que les choses s'arrêteraient là. Ce ne fut pas le cas.

La rencontre s'était tellement bien passée que par la suite, je fus régulièrement sollicité pour débattre et échanger, en tête-à-tête, sur des sujets les plus divers, avec M. Biya. Nous discutions philosophie, histoire de l'humanité contemporaine, classique et ancienne, liberté et démocratie, racisme, économie, progrès scientifiques, arts, actualité de l'Afrique et de l'Europe.

Le destin, d'une façon inattendue, allait intervenir au cœur de ces échanges intellectuels enrichissants et d'ordre privé. Le 4 novembre 1982, après 25 ans d'un règne monolithique et impitoyable, le président en exercice, M. Ahmadou Ahidjo, démissionna, prenant tout le monde de court. M. Paul Biya, par le miracle de la Constitution alors en vigueur, devint ainsi le nouveau Président de la République du Cameroun.

Et voilà que, tout aussi surpris, je me trouvai embarqué d'une façon presque naturelle dans un monde inconnu, dont je ne maîtrisais ni les principes ni les règles. Monsieur Biya quant à lui avait déjà une longue expérience de la vie politique. Il était, depuis 1962, chargé de mission à la présidence de la République auprès du président Ahidjo avant de devenir, en 1968, ministre secrétaire général à la présidence, puis Premier ministre en 1975.

L'avènement du nouveau président de la République fut salué avec une rare liesse par la majorité des Camerounais, à l'exception d'une petite frange d'irréductibles affidés, qualifiés de nostalgiques du régime Ahidjo. Le système en place s'était jusqu'alors maintenu par la terreur, en invoquant la nécessité de reconstruire un « État uni et fort ». La démocratie, qualifiée de luxe occidental, n'avait jamais été à l'ordre du jour depuis l'accession du Cameroun à l'indépendance.

En libre penseur, comme d'ailleurs beaucoup d'autres Camerounais réduits au silence, je me sentais frustré et j'aspirais au changement ; grâce à ma profession cependant, qui constituait un refuge aussi utile que salutaire, je n'étais pas désespéré.

Le discours d'investiture, prononcé deux jours seulement après la démission de M. Ahidjo et rapidement rédigé, aura comme thème principal : « Rigueur, moralisation, démocratisation, libéralisation ».

Dans une hystérie collective, la nation toute entière boira ce slogan comme un élixir magique, source d'un avenir meilleur. Plus tard, la méprise sera d'autant plus déroutante et blessante que peu de Camerounais s'attendaient à un total reniement du discours du « renouveau » de 1982...

3. Ma formation politique en théorie et en pratique

Ce chapitre s'adresse notamment à la jeune génération qui aspire à jouer les premiers rôles dans l'univers socio-politique de notre pays. Elle doit se bâtir elle-même un socle intellectuel solide, large, tout en restant ouverte aux incessants flux auxquels est soumise la pensée humaine. Ici viendront se greffer des convictions personnelles. En politique, rien d'important ne doit s'improviser, au risque de voir réduit en poussière ce que l'on a tenté de construire, même avec la plus grande détermination. C'est un univers dans lequel rien ne se gagne facilement. Il serait naïf de croire que l'on peut réussir en politique, alors que l'on a échoué partout ailleurs, malgré certaines apparences trompeuses...

J'ai parcouru et re-parcouru de nombreux auteurs classiques et modernes, aux horizons intellectuels les plus divers, philosophes, politiques, écrivains, historiens, humanistes, etc. Ils ont constitué d'une façon consciente et/ou inconsciente, les fondements de mes convictions. J'ai choisi définitivement d'être un acteur constant de la défense de la liberté et de la démocratie dans mon pays.

Pour moi, la liberté, idéal de la démocratie, est ce

grain de cristal qui brille en chaque individu et qui l'incite à lutter pour sa sauvegarde. Elle s'accompagne toujours de la responsabilité. Une liberté sans responsabilité n'est qu'une illusion stérile, une chimère volatile, un mirage nébuleux... De nombreux auteurs, de nombreux événements historiques m'auront marqué d'une façon particulière. J'en cite ici quelques exemples.

* Platon

Ses dialogues sont une source inépuisable de connaissances et de sagesse. Il est l'un de mes auteurs favoris : « ... il y a quatre qualités d'un être appelé à diriger un État : la sagesse, le courage, la tempérance et la justice » (*La République*).

« ... La parfaite félicité d'un royaume est qu'un prince soit obéi de ses sujets, que le prince obéisse à la loi et que la loi soit droite et toujours dirigée au public » (*La République*).

* Machiavel

Le nom de cet adepte républicain s'identifie, hélas, à son premier ouvrage *Le Prince*, éclipsant les trois autres : *Discours sur la première décade de Tite-Live, L'Art de la guerre et Les Histoires florentines.*

Le lecteur pressé et superficiel croit voir en Machiavel le chantre du cynisme, des procédés retors et des méthodes violentes et dictatoriales de gouvernement. Il s'abandonne alors volontiers à ses propres illusions et fantasmes, faisant fi du contexte d'anarchie, de désordre et de népotisme de l'époque qui a inspiré la rédaction du *Prince.* D'ailleurs, cet ouvrage pourrait se résumer aux trois pages du chapitre IV sur « l'exemplaire César Borgia » qui ont compté plus que tout le reste. Machiavel y révèle ce qu'est l'État, comment on le gagne, comment on le perd, en son temps. Ce n'est point un bréviaire de la tyrannie et du cynisme comme beaucoup le prétendent mais un simple « remède de cheval » pour les libertés malades, dans un contexte bien défini.

D'ailleurs, « la dictature du bon vieux temps ne durerait qu'un temps, après quoi le sauveur, après avoir remis rudement la République sur son fondement, la Vertu, s'en retirerait à ses quelques arpents ».

En restant attentif, on peut s'apercevoir que les Discours sur la première décade de Tite-Live sont l'ouvrage majeur de l'auteur : « une foi profonde dans les bonnes républiques réelles d'antan, doublée d'une méfiance plus solide encore des démagogies de son temps ». Il y relate comment se fonde une République, comment elle se conserve, comment elle se perd...

L'art de la guerre traite de la manière de donner à la République idéale une armée idéale. J'ai eu le plaisir de lire ces ouvrages directement en langue italienne pour ne pas avoir à connaître les distorsions des traductions et des traducteurs divers. Contrairement à beaucoup d'hommes politiques, je ne compte pas Le Prince parmi mes livres de chevet...

*Antoine Fabre d'Olivet

Dans son *Histoire philosophique du genre humain*, cet auteur analyse en profondeur les trois formes de gouvernement découlant des trois grandes puissances par lesquelles l'univers est régi :

- la Providence : qui amène toujours la perfectibilité des choses ; l'état social y aspire plus qu'il n'y tend.
- le Destin : qui découle de la forme des choses ; l'état social y tend sans cesse.
- la Volonté de l'Homme : forme médiane qui est la républicaine, tendant à réunir les deux autres puissances.

Pour un gouvernement idéal, ces puissances doivent se retrouver dans une trilogie harmonieuse. Ce qui est de fait et légal, se compose d'un Destin soumis à la Volonté, et ce qui est légitime et de droit annonce une Volonté soumise au Destin. Dans l'un ou l'autre cas, la Providence vient parfaire l'équilibre. Mais attention, « il ne faut jamais au préalable substituer à la légitimité démocratique la légitimité d'un homme élu... ».

* Karl Marx

Avide de connaissance lorsque j'étais jeune, j'avais pourtant très tôt abandonné le projet pharaonique d'achever la lecture de l'immense ouvrage *Le capital*, plutôt réservé aux adeptes et chercheurs de Science Po. Je me suis humblement contenté, par biographies interposées, de connaître l'homme et sa puissante pensée.

L'édification de sa théorie puise ses arguments dans trois sources, allemande, anglaise et française.

1. Le matérialisme historique emprunte la méthode philosophique de Hegel (tout en critiquant sa philosophie de l'histoire), en appliquant la dialectique à l'étude des relations dans la société humaine et tout en introduisant l'idée scientifique de l'évolution des espèces vivantes (selon Darwin) dans le domaine sociologique.

2. Sa théorie économique est basée sur la critique du phénomène « capital » dont la pierre angulaire est l'analyse de la notion de « plus-value » (Adam Smith), contenue dans la valeur de la marchandise. C'est l'ouvrier qui la crée, mais n'en bénéficie pas, au seul profit du patron.

3. Le socialisme français influença les idées de la Révolution de 1789, première libératrice de l'Humanité et les doctrines socialistes françaises, d'où l'idée de la lutte des classes et d'une révolution sociale qui viendra inévitablement renverser le régime capitaliste et instituer la forme socialiste de la société humaine.

Malgré une intense lutte pendant plus d'un siècle, l'objectif final de cette idéologie ne fut pas atteint. Le mur de Berlin s'écroula, avec elle, le 9 novembre 1989...

* Serge Tchakhotine

Dans son magistral ouvrage *Le viol des foules par la propagande politique*, l'auteur partage des idées fortes concernant notamment la démocratie.

« Ce qui attend l'humanité, écrit-il, si le danger d'une nouvelle guerre mondiale n'est pas écarté, et si le genre humain survit à cette catastrophe, est pire encore : c'est la dégradation de l'Homme au niveau automate, dont toutes les réactions, tous les réflexes, seraient déterminés d'avance, réglés par le pouvoir d'une petite pseudo-élite, imbue d'idées criminelles de domination.

C'est l'avilissement de la pensée humaine au niveau d'un instrument d'oppression psychique : un viol intellectuel continu, l'abaissement de l'art à la glorification de la violence et de l'idée absurde de la prédestination des 'chefs' ». Pour lui, la démocratie ne s'introduit pas, elle s'installe d'elle-même là où les conditions humaines se manifestant par une structure biologique acquise dans le comportement des hommes, sont établies...

* Francis Bacon

La Nouvelle Atlantide est une des dernières œuvres de l'auteur. C'est la synthèse de ce que fut l'homme, le philosophe, le savant. Le but principal de cette « maison de Salomon » représente un idéal, qui est de veiller au rétablissement de toute chose et de tout être en état meilleur.

La Nouvelle Atlantide s'inspire du *Timée* et de *Critias* de Platon. Elle est une utopie, c'est-à-dire une réalité virtuelle qui n'attend que d'être traduite dans le monde phénoménal. C'est aussi un lieu qu'on ne trouve nulle part mais qui se trouve partout car « il est dans l'homme sincère ». C'est enfin un lieu légendaire, qui doit connaître un début de réalisation sur Terre, lorsque les Intelligences commencent à entrevoir que tout progrès équilibré passe par l'évolution intérieure de l'être humain...

A travers ces œuvres, j'ai pu bâtir solidement ma conception de l'Idéal.

* Autres auteurs

D'autres auteurs, philosophes, historiens ou écrivains camerounais ou étrangers ont profondément imprégné et influencé ma pensée politique. J'en citerai quelques-uns :

- Frantz Fanon, Léopold Sédar Senghor, Aimé Césaire, Richard Joseph, Seloua Luste Boulbina...
- des éminents Camerounais tels que Mongo Beti, Fabien Eboussi Boulaga, Achille Mbembe, Ebenezer Njoh Mouelle, etc.
- Thomas Deltombe, Manuel Domergue et Jacob Tatsitsa viendront remplir une page à moitié vide de l'histoire de mon pays par leur magistral ouvrage *Kamerun*.

En conclusion, je citerai un politologue camerounais dont la pensée est d'une acuité des plus troublantes : « Le Cameroun contemporain, sorti tout droit de la tragique combinaison guerre de libération - guerre contre-insurrectionnelle - guerre civile, est une entité sans poésie, tout à fait prosaïque, un agencement segmentaire, mou et gélatineux, dont le surmoi est demeuré colonial, c'est-à-dire, pour l'essentiel, répressif. La sorte d'autoritarisme molaire, faite d'adhésion et d'inertie, qui aura caractérisé un demi-siècle, court tout droit aujourd'hui vers une bruyante impasse. Pour en sortir, il n'est pas certain qu'un simple changement d'idées, voire d'hommes, suffira. Il faudra sans doute passer par un radical changement de régime » (Achille Mbembe, in préface dans *La guerre du Cameroun* de T. Detombe, M. Domergue et J. Tatsitsa). Avertissement lourd de sens !

A cette formation théorique s'est ajoutée la partie pratique une fois que je me retrouvai projeté du jour au lendemain dans le monde politique aux côtés de M. Paul Biya. L'intensité de l'action politique prenait de plus en plus de place dans ma vie, rivalisant non sans heurt avec les impératifs de ma profession. Anxieux, je redoutais le moment de devoir, tôt ou tard, faire un choix définitif, inéluctable. En attendant, du fait de ma proximité avec le pouvoir, je commençai à prendre en pleine figure et régulièrement, l'extrême violence des événements qui s'enchaînaient, sans disposer d'aucune arme appropriée de défense.

Plus tard, j'allais vivre des années encore plus difficiles tantôt comme simple témoin, tantôt comme acteur engagé, ciblé, exposé aux premières loges du maelström politique de mon pays. Mais tous ces combats feutrés ont également contribué à m'aguerrir.

En même temps, ils ont été renforcés par mes nombreuses lectures et par une large formation théorique personnelle durement acquise. C'est ainsi que j'ai pu, à partir de cette double expérience, bâtir le véritable socle de ma carrière en politique, dans un univers de sable mouvant...

La politique a quelquefois été définie comme « une poésie idéologique », c'est-à-dire comme quelque chose d'abstrait et de lointain ; j'essaierai toujours de la ramener à « la prose de la réalité », autrement dit à l'action concrète permettant de contribuer au progrès de mon pays.

Appelé à agir sur le terrain, je fus constamment poussé à solliciter mes connaissances théoriques et à forger ma pensée au contact de cette réalité changeante et quelquefois imprévisible.

Aussitôt l'euphorie de la prestation de serment du nouveau président dissipée, l'atmosphère politique redevint rapidement irrespirable. Les réfractaires, entendez les nostalgiques, minoritaires, de l'ancien régime, enfermés dans leur réticence au changement, affichaient ostensiblement leur mécontentement et arboraient avec condescendance leur prétendue puissance d'hier, fondée essentiellement sur leurs communes origines géographiques et tribales.

En proche conseiller informel du nouveau chef de

l'État, sans esprit partisan, libre de tout à priori et dépourvu de toute expérience politicienne structurée, je devais jouer le rôle d'un collaborateur honnête, froid, discret, attentif et lucide, insufflant sérénité et espoir avec beaucoup de conviction.

Le moment était très délicat car la nouvelle équipe en construction, le « think-thank » de l'époque, était fragile, sans repère et inexpérimenté. Je fus ahuri en écoutant des réflexions qui projetaient les menaces les plus folles, ventilées par des rumeurs tout aussi ubuesques contre le nouveau président Paul Biya. Néanmoins, il planait sur lui une menace réelle qui semblait provenir de ceux qui étaient viscéralement hostiles au changement. Ces derniers semblaient s'entêter à vouloir rétablir l'ordre ancien contre la volonté des Camerounais qui aspiraient majoritairement au changement. Cette situation nouvelle fut particulièrement exténuante mais c'était néanmoins une extraordinaire leçon de combat politique. J'apprenais ainsi à devenir un véritable guerrier dans ce milieu. Le Karaté-do m'y avait déjà un peu préparé sans le savoir. Et comme le stipule un sage, « un guerrier ne tente pas de paraître, il est »... toujours présent.

La réalité allait nous conduire à vivre le bicéphalisme à la tête de l'État. C'était la guerre au sein du pouvoir et il fallait y faire face immédiatement. Quelques mois à peine après sa démission, l'ancien président de la République, Ahmadou Ahidjo, décida de revenir sur le devant de la scène, créant un sentiment de révulsion général assez inattendu. Toujours président du parti unique, l'Union Nationale Camerounaise (UNC), il s'affichait avec autorité en père de la nation, s'arrogeant le droit absolu de déterminer les choix politiques de la République. La guerre du bicéphalisme était déclarée : un président de parti, fût-il national et unique, contre un président de la République, légal et légitime, garant des institutions républicaines.

Qui était donc le véritable président du Cameroun ? Le charismatique Ahmadou Ahidjo qui venait de céder son fauteuil ou Paul Biya, le discret nouveau chef de l'État ? L'angoisse et l'inquiétude montaient dans le pays et les Camerounais attendaient une réponse claire.

Une étincelle allait rapidement provoquer un incendie ravageur. Les repus du pouvoir politique d'hier s'engouffrèrent naïvement et avec beaucoup de légèreté (heureusement !) dans la turpitude de la violence, le 6 avril 1984. Ils prirent les armes pour rétablir l'ancien régime. Ainsi démontraient-ils, par ignorance et aveuglement, que « la politique n'a pas encore découvert le secret d'éviter la violence et que la violence devient plus inhumaine encore lorsqu'elle se croit au service de la vérité à la fois historique et absolue ». La violence, comme arme politique, est en réalité l'apanage des faibles et des pusillanimes.

Malheureusement, le nouveau régime, une fois consolidé, aura vite fait de jeter aux oubliettes cette magistrale victoire contre l'obscurantisme.

Au cœur de ce combat de titans, j'ai agi en collaborateur discret et actif. En effet, je me tenais disponible vingt-quatre heures sur vingt-quatre, prêt à recevoir un appel du président Biya pour des questions urgentes. C'est ce qui se passa d'ailleurs au cours de cette période où, seul dans ma petite voiture, faisant des aller/retour de jour comme de nuit, sans garde du corps, entre le palais présidentiel et ma maison, je passai l'essentiel de mon temps à régler des affaires d'État. J'avais choisi de mettre toute ma disponibilité au service de mon pays, sans aucune arrière-pensée.

4. La tentative de coup d'État du 6 avril 1984

Ce soir-là, les débats et les échanges avec le président Biya avaient été particulièrement longs, embrassant tous les contours et convulsions politiques de l'heure. Je quittai le palais présidentiel à 3h00 du matin, seul dans ma Peugeot 504. A peine rentré à mon domicile, les premières rafales de mitraillettes et les premiers coups de canon déchirèrent la fraîcheur et le silence de l'aube. Je tentai de joindre le président par téléphone, en vain ! Ma ligne avait été sabotée.

A 6h00, je reçus la visite inattendue d'un groupe de militaires, en tenue de combat, de l'état-major particulier du président. Je reconnus de ma fenêtre leur chef et décidai d'aller vers eux... Aussitôt, ce chef me rassura, m'expliquant en quelques minutes la situation, son origine ainsi que les manœuvres en cours. Le président de la République se trouvait en lieu sûr, affirma-t-il. Pour terminer, il m'ordonna de ne pas m'éloigner de chez moi. A 9h00, un concitoyen vint lui aussi, courageux et haletant, m'enjoindre de ne pas sortir. Il venait de dérouter un groupe de soldats putschistes lourdement armés qui essayaient d'identifier ma maison. La Providence, à travers cet anonyme, m'a sauvé la vie.

La tentative de coup d'État vira au fiasco mais ses conséquences ébranlèrent tout le pays. Les Camerounais furent tous secoués car ils ne pouvaient imaginer une telle situation. Est-ce à cause de ce malheureux événement que le président de la République va changer drastiquement de comportement et abandonner toute ambition de servir son pays ? Ou alors, avait-il dupé les Camerounais dès le départ ? En tout état de cause, à partir de cette date, rien ne fut plus comme avant. Peut-être qu'un jour l'histoire nous révélera ce qui n'a pas pu l'être encore aujourd'hui...

Sur le plan personnel, je devais constater avec beaucoup d'amertume qu'en Afrique, en l'occurrence au Cameroun, la politique appartenait encore à l'univers de la violence aveugle et se résumait souvent à choisir entre la vie et la mort. Quel dépit au fond de l'âme de celui qui avait choisi, naguère, de sauver des vies, de défier la mort quotidiennement ! En tant que médecin, je devais me rendre à l'évidence que la politique ou du moins une certaine façon de la pratiquer, n'avait pas pour but de contribuer à la vie mais de donner la mort. Comment, dans un tel contexte, aider le peuple camerounais qui sortait de plusieurs années de répression féroce sous l'ancien régime à vivre enfin librement, dignement et sans crainte ? Cette question commença à me hanter.

Extraordinaire leçon ! Je sortais de cette expérience encore plus affermi dans mes convictions, dans ma foi en des valeurs dont le cynisme et la lâcheté ne font point partie. Et pour preuve, quelques semaines plus tard, je reçus une jeune dame en pleurs dont j'avais soigné la sœur cadette par le passé. Son époux, me confia-t-elle, faisait partie de la liste des putschistes pouvant être condamnés à mort. Je vérifiai l'information et pus intervenir auprès du président de la République afin de lui éviter des amalgames et des règlements de compte inter-ethniques. Je réussis, grâce à Dieu, à dénouer cet épineux problème. Il se trouve, et je peux le dire aujourd'hui, que l'époux en question était M. Marafa Hamidou Yaya. De la même façon, j'ai pu agir pour d'autres en suivant toujours mes convictions profondes.

En août 1985, un décret présidentiel m'ouvrit officiellement les couloirs du pouvoir exécutif, en tant que membre du gouvernement, ministre chargé de mission à la présidence de la République. Pouvoir, un mot dont je n'étais capable de mesurer ni la dimension ni la signification avec ses réelles implications. Comme je l'affirmerai plus tard, « le pouvoir est une épée redoutable dont ne doit se servir que le chevalier du Bien, du Beau, du Vrai et du Juste, c'est-à-dire un véritable adepte de l'amour et de la justice ». Je fus par la suite successivement, sans interruption, et pendant douze années durant, conseiller spécial à la présidence de la République, ministre de l'Enseignement supérieur, secrétaire général de la présidence de la République, ministre de la Santé publique.

Intenses et exaltantes fonctions au cours desquelles mon leitmotiv restera le même : servir mon pays. A travers mes nouvelles et respectives missions, j'aidai le président de la République à réussir la sienne, ô combien plus ardue et prestigieuse.

5. La création laborieuse du Rassemblement Démocratique du Peuple Camerounais (RDPC) ou Cameroon People's Democratic Movement (CPDM)

Le bicéphalisme, évoqué plus haut, constituait un problème majeur à la tête de l'État. L'ancien président de la République démissionnaire défendait mordicus la prééminence du parti unique, l'UNC (Union Nationale Camerounaise), aux destinées duquel il présidait encore, contre le nouveau président Paul Biya, certes garant des institutions républicaines mais sans assise politique réelle, en dépit de sa légalité et de sa légitimité.

La question qui se posait alors était de savoir s'il fallait réaliser un hold-up sur l'UNC ou bien créer, ex nihilo, un nouveau parti lors d'assises nationales... Le dilemme était de taille et l'avenir du pays et de la démocratie naissante en dépendait. Les échanges furent nombreux et parfois houleux. La décision finale fut de transformer l'UNC en un nouveau mouvement national, éjectant ipso facto son ancien président, les membres de son bureau politique et ceux du comité central. Cette initiative fut réussie puis entérinée le 24 janvier 1985 à Bamenda. La question du bicéphalisme venait ainsi d'être réglée et le nouveau président de la République pouvait désormais travailler sans entrave.

Cela dit, tous les problèmes n'étaient pas pour autant résolus. La dénomination du nouveau parti se posa : d'abord RPC-Rassemblement du Peuple Camerounais, une dernière réflexion y intercala le « D » pour « démocratique », intégrant ainsi la préoccupation du nouveau chef de l'État de faire accéder son peuple à la démocratie dont il avait été privé avant et après « l'Indépendance ».

Deux courants s'affrontaient sur la nouvelle attitude à adopter au sein du parti : celui de la radicalité et celui prônant la tolérance, auquel j'appartenais. Les anciens et les nouveaux partisans devaient s'accorder sur un compromis. Finalement, la tolérance l'emporta sur la radicalité et c'est ainsi que naquit le RDPC (CPDM), dans les fonds baptismaux de la ville anglophone de Bamenda, capitale provinciale du nord-ouest de notre pays, tel un symbole de l'unité, au-delà des crispations identitaires que l'on connaît aujourd'hui. Faut-il rappeler que c'est de ce genre d'événement passé dont nous gagnerions à nous inspirer ces temps-ci pour apaiser les Camerounais ?

Pendant ces longues assises, je compris que la politique est « l'art des choses sans retour et des longs desseins » et que toute décision politique devient, de fait, « une décision sur soi-même ».

Ah ! Quelle peine, quelle dérision infamante de voir

aujourd'hui ces prétendus caciques du RDPC en véritables cuistres de sacristie et jouisseurs impénitents, ridiculiser militantes et militants, réduits en anonymes danseurs folkloriques infatigables, lors de scènes d'hystérie collectives se déroulant sous une pluie torrentielle ou sous un soleil de plomb ! Sous l'œil impassible et vide du chef, ils ont massacré avec cynisme le RDPC politique, noble dans ses aspirations d'hier, au profit d'un RDPC honteusement et exclusivement alimentaire...

Lorsque ceux que l'on désigne de façon sympathique au RDPC « les rénovateurs » pointent les dérives du parti, ils sont quelquefois blâmés voire marginalisés alors qu'ils mettent simplement en évidence une réalité devenue insupportable à tous les vrais militants de ce parti. Mais, ceux qui prônent sans cesse la corruption, la servilité, la violence et l'incivisme dans notre pays ne cessent de se faire passer pour de vrais RDPCistes. C'est désolant et cela heurte naturellement l'un des pères fondateur de ce parti que je suis. Quel gâchis !

6. Le traumatisme de la catastrophe du lac Nyos

Le 21 août 1986, tôt le matin, le président de la République du Cameroun me sollicite d'urgence. Dans le département de Oum, au nord-ouest de notre pays, vient de se produire un phénomène jusque-là inconnu : l'émission massive et soudaine, sous forme d'explosion, de CO_2, à partir d'un lac situé dans la localité de Nyos. On dénombrera environ 1800 victimes de cette catastrophe naturelle qui touche aussi la faune et la flore.

Une réunion en urgence est présidée par le chef de l'État. D'aucuns, les moins nombreux, préconisent sa visite immédiate sur les lieux. D'autres, largement majoritaires, font tout pour l'en dissuader. En tête-à-tête et respectueusement, je lui expose les avantages certains de sa présence sur place, aux côtés des sinistrés. C'est ainsi qu'à bord de son hélicoptère, il va rejoindre le matin-même, la province touchée. Je fais partie de la délégation restreinte.

C'est une opération certes politique, mais surtout humaine, réussie. Grâce à cette visite, des solutions urgentes face à la détresse de la population sont immédiatement pensées et mises à exécution.

Alors que le président s'apprête à quitter les lieux, je vois les yeux des uns et des autres, rescapés et hauts responsables locaux, scintiller d'espoir et exprimer leur gratitude. Je garde toujours en mémoire cette image d'un président auprès de ses concitoyens en détresse, impliqué dans sa mission de garant de la sécurité et de l'unité de son peuple...

Certes, gouverner c'est prévoir. Mais l'on ne peut pas tout prévoir. Savoir assumer l'imprévisible, réagir au mieux, faire preuve d'imagination et de pragmatisme, c'est aussi cela gouverner ! Hélas, cette extraordinaire leçon ne se reproduira plus par la suite, même en des circonstances similaires... Peut-être parce que le Cameroun et ses problèmes cesseront peu à peu d'être la priorité du prince et de son équipe...

Pour moi, le temps ne s'était pas arrêté. Je devais m'occuper d'autres questions urgentes qui s'imposaient à nous si nous voulions bâtir une véritable démocratie. En tout cas, moi j'y croyais fermement. C'est ainsi que je me retrouvai en première ligne pour gérer le passage difficile au multipartisme.

7. La naissance aux forceps du multipartisme

Le vent de la démocratie soufflait à fortes rafales depuis l'Est de l'Europe à la fin des années 80. Partout en Afrique, l'on suivait avec beaucoup d'intérêt la « perestroïka » de M. Gorbatchev. En novembre 1989, tombait le Mur de Berlin. En juin 1990, M. François Mitterrand, président de la République française, initia une conférence à La Baule (France), invitant ses homologues africains à ouvrir leurs pays au multipartisme s'ils voulaient continuer à bénéficier de l'aide bilatérale de l'Hexagone...

Le Cameroun aurait pu anticiper ces événements majeurs car les débats, les échanges et les réflexions se faisaient déjà sur l'ouverture démocratique dans notre pays. Le président de la République usa plutôt de son « inertie tactique » pour freiner le cours de l'histoire, jusqu'au jour où, contraint par la violence extrême et inattendue de ce qui fut appelé « les villes mortes », il décida d'ouvrir la boîte de Pandore.

Lors des assises de politique générale du RDPC, il prit tous les militants de court. Dans un premier temps, il fit adopter une position étonnante aux responsables du parti, celle de soutenir sans réserve le maintien du parti unique. Ces derniers, obéissants, firent une apologie du monopartisme, acclamée à grands cris par la foule, magnifiant au passage le président national devenu le « Père de la Nation ». C'est pourtant cette vision rétrograde qu'ils avaient reprochée aux caciques de l'UNC prônant le statu quo. En réponse solennelle, Paul Biya répliqua par une déclaration déconcertante : « à partir de ce jour, le RDPC devra désormais compter avec le multipartisme ! ». Choc, humiliation, frustration dans la salle ! Mais le message était clair : « puisque le Cameroun va devoir intégrer l'univers du multipartisme, il ne le devra qu'à moi, et à moi seul... ». C'était donc, à en croire le chef de l'État, Paul Biya qui apportait le multipartisme aux Camerounais.

La manière fut des plus cavalières et n'augurait en rien de lendemains sereins. Tout le Cameroun subit cette déclaration comme une injure, alors même que cette ouverture aurait pu rentrer dans notre histoire politique comme une victoire, voire un triomphe de la société camerounaise toute entière. Il faut se rappeler en effet que certains de nos compatriotes étaient tombés sous les feux de la répression contre les « opérations villes mortes ». D'autres avaient été arrêtés et incarcérés. Ils luttaient tous pour la démocratie, ils avaient soif de liberté et de progrès. Il faut croire que dans l'esprit du chef de l'Etat, ces Camerounais étaient uniquement des fauteurs de troubles... Me revient ainsi en mémoire avec nostalgie et amertume les temps déjà si lointains où nous sublimions la liberté et la démocratie...

Par la suite, des dizaines et des dizaines de partis jaillirent de partout et de nulle part, sur des bases plus ou moins folkloriques, créant davantage une atmosphère de foire que le terreau d'un véritable pluralisme d'idées et de projets destinés à mettre le pays sur la voie du progrès. Le Cameroun venait de se priver d'une opportunité rare et unique de s'émanciper d'un passé difficile et répressif pour tendre définitivement les bras à la démocratie et à la prospérité.

Certes, les premières élections « libres » et pluralistes à l'Assemblée nationale furent programmées. Mais la loi électorale et les dispositions réglementaires en vigueur paraissant opaques, les différents et nouveaux partis refusèrent catégoriquement d'y participer, à l'exception du RDPC. Les bases sur lesquelles commençait l'action politique du nouveau régime ne semblaient déjà pas très claires...

En véritable pèlerin et négociateur autorisé, je fus envoyé au front. Je réussis à adoucir la radicalité et la rigidité des uns et des autres. Hormis le SDF (Social Democratic Front), la majorité des partis modérés et radicaux acceptèrent finalement de jouer le jeu. A cette occasion, j'eus le privilège de rencontrer, mais à quel prix, les hauts responsables des principaux partis d'opposition de l'époque. Cela allait contribuer, bien plus tard, à établir des liens forts, constructifs et respectueux avec eux, mais également me valoir les foudres les plus inattendues.

Les élections parlementaires eurent donc lieu. Pour la première et la dernière fois, le RDPC n'eut pas la majorité absolue. Sur 180 députés, la répartition à l'issue du vote fut la suivante :

RDPC : 88
UNDP : 68
UPC : 15
MDR : 6

Ainsi, la cartographie politique venait de prendre un pli véritablement démocratique. C'était exaltant ! Je m'étais totalement investi dans cette démarche devant permettre l'éclosion de la liberté pour tous les Camerounais. Je participai avec enthousiasme et beaucoup d'espoir à l'organisation du pluralisme politique dans mon pays.

J'avais appliqué avec diligence l'aphorisme suivant : « ne négocions pas parce que nous avons peur, mais n'ayons pas peur de négocier » (J. F. Kennedy). Oui, négocier, c'est très difficile, cela demande beaucoup de courage et d'intelligence. Il ne faut jamais fixer l'autre dans une position figée, ni être soi-même rigide. La négociation est un choix de valeur, pour éviter la guerre ou le conflit inutile, car la paix est toujours préférable à la guerre...

Mais avant d'avoir repris mon souffle, un autre chantier ardent m'attendait déjà...

8. La réforme incomprise mais nécessaire de l'université

En plein cœur des événements qui se succédaient et se chevauchaient au jour le jour et dans tous les secteurs, je me rendais compte, déjà, qu'il n'existait point de cap bien défini, assigné à l'action gouvernementale. Toujours rattrapé et ballotté au vent par le moindre soubresaut intérieur comme extérieur, l'État, fragile dans ses fondements, tanguait au gré des circonstances, et ses réponses semblaient improvisées. En fait, le pays n'était pas gouverné. Le Cameroun se trouvait dans un état d'urgence tacite permanent.

C'est ainsi que la houle des turbulences politico-sociales vint investir le fébrile univers universitaire. Comme « par hasard », je fus nommé ministre de l'Enseignement supérieur en 1992, sans aucune instruction particulière, sinon peut-être celle de jouer encore au placide et auguste pompier. Le ministère fut amputé de son important volet « Recherche scientifique ». J'en aurais été trop honoré. En tout cas, je laissai la veste de conseiller spécial discret, pour celle d'un acteur placé sous le feu « réel » des projecteurs. Mon ambition, par mon habituelle et totale disponibilité, restait la même, à savoir : servir mon pays.

Au préalable, quelques observations doivent être faites :

- j'étais le 5ème ministre de l'Enseignement supérieur depuis 1982, date du début du nouveau régime ;
- en 1992, le Cameroun est en plein ajustement structurel imposé par le FMI et la Banque mondiale, la situation économique est catastrophique et les caisses de l'Etat sont vides ;
- l'Etat accuse des arriérés de bourse de trois ans à l'étranger (trois fois 7 milliards de FCFA) et de deux ans à l'intérieur ;
- les parents camerounais dépensent pour leurs enfants à l'étranger environ 42 milliards de FCFA par an.

En arrivant à ce poste, je fis faire un état des lieux et ne pus que constater que celui-ci était catastrophique. L'université fédérale créée en 1962 avait connu une évolution exponentielle. Elle souffrait d'une colossale surpopulation : alors qu'elle avait ouvert ses portes avec 600 étudiants, elle en comptait 7 000 en 1970, 18 000 en 1984, 32 000 en 1990, 45 000 en 1991 et plus de 55 000 en 1992. Face à la masse estudiantine, les infrastructures conçues au départ pour permettre un bon encadrement étaient désormais insuffisantes et obsolètes. Les amphithéâtres ne pouvaient plus absorber le nombre d'étudiants inscrits et la surcharge des salles de cours témoignait d'une certaine négligence des conditions de travail des étudiants et des enseignants.

Le taux d'encadrement par étudiant aboutissait à un ratio dérisoire, rendant impossible le suivi de l'enseignement ordinaire, encore moins celui des cycles de recherche.

Les résultats, en terme de rendement interne et externe, étaient médiocres : seuls 1 300 étudiants sortaient chaque année nantis d'une licence, soit un taux moyen de 30 % ; des milliers de diplômés ne trouvaient pas de premier emploi. Plus de 8 000 diplômés, dont des ingénieurs, étaient au chômage. La formation était manifestement inadaptée au regard des exigences et des profils recherchés sur le marché de l'emploi ou de l'auto-emploi. Sur ce plan, force est de remarquer que rien n'a changé vingt-six après.

Le budget de l'université était essentiellement consacré à l'intendance, la subvention de l'État étant son unique source ; d'où un budget de survie, en attendant une mort définitive et certaine. Pour être plus explicite, voici, à titre d'exemple, la répartition du budget pour l'année universitaire 1990-1991 :

- dépenses du personnel : 46 %
- bourses, aides aux étudiants, restauration et logements des étudiants : 43,5 %
- dépenses de fonctionnement, d'entretien des immeubles et divers : 9 %
- crédits de recherche et d'équipement des laboratoires : 1,5 %

Une dérive sans précédent frappait les œuvres

universitaires. L'attribution et la reconduction automatique des bourses ne respectaient plus aucune règle objective, seuls prévalaient l'arbitraire, le tribalisme, voire le droit de cuissage. Les chambres du campus s'étaient transformées en véritables tanières où des ménages informels stipendiant à 25 000 FCFA par mois à ne rien faire, vivaient en locataires impénitents, avec femme et enfants. La moyenne d'un cursus en licence de lettres humaines prévu initialement pour durer trois ans, était de sept ans. Celle en faculté de science, d'une dizaine d'années. Rien d'étonnant. Pour avoir été enseignant moi-même, je devais conclure que notre pays avait décidé de porter son attention ailleurs que dans la formation de nos cerveaux et dans l'avenir de nos universités.

Le diagnostic était donc sans appel. L'université était devenue une sorte d'association informelle de bienfaisance, où la médiocrité et le tribalisme avaient presque complètement éteint la brillance et l'excellence. Cette dérive la maintenait loin de ses nobles missions initiales, à savoir : la formation, l'éducation, la recherche technologique de pointe, la culture, l'initiation au sens civique, pour contribuer à l'émancipation de notre société... Seule une réforme globale et profonde était de nature à redresser une institution en état de quasi-perdition. Elle devait intégrer tous les paramètres et handicaps recensés : une sévère crise économique, l'accroissement exponentiel des effectifs, le dépit des enseignants, les exigences du marché du travail, le défi de l'auto-emploi des diplômés, etc. Il fallait créer une nouvelle philosophie et une nouvelle architecture au sein de l'institution. Cela passait, notamment, par les axes suivants :

1) la création de six universités nouvelles.

2) une participation plurielle au système universitaire.

Il s'agissait de mettre en place une nouvelle gestion administrative et académique inclusive, favorisant l'association d'un maximum de partenaires. Le recteur cumulerait ses fonctions avec celles de président du conseil d'administration, soutenu par deux vice-recteurs, l'un responsable des affaires académiques et l'autre des affaires administratives.

Cela nécessitait surtout un financement diversifié, où, à la participation de l'État, s'adjoindrait une initiative privé bienvenue, devant être encouragée. Dorénavant, même l'étudiant devrait s'impliquer en s'acquittant de droits universitaires pour un taux forfaitaire de 50 000 francs CFA. Cela signifiait qu'il allait cesser d'être totalement assisté pour devenir un acteur responsable à part entière de son institution. Le travail à abattre était donc titanesque.

Je dois m'arrêter un bref instant sur ce point de la réforme, qui à l'époque fut perçu comme un obstacle mis aux étudiants ou une mesure allant contre leurs intérêts. En réalité, il n'en était rien. D'abord, le pays se trouvait dans un contexte économique et financier tel, qu'il n'était tout simplement plus possible, matériellement, de soutenir la gratuité totale de l'université. En Afrique, la gratuité donne souvent à penser que l'État est efficace, qu'il agit dans l'intérêt général ou qu'il corrige les inégalités. C'est faux. Si nous voulions avoir de grandes universités capables de remplir leur mission, tout le monde était supposé faire des efforts pour cela. Continuer à prôner la gratuité au vu de l'état des finances du Cameroun était tout simplement démagogique et profondément malhonnête. Il faut rappeler qu'à la même époque, dans les pays occidentaux comme la France ou l'Allemagne, des droits universitaires de quelques centaines de francs s'appliquaient, afin de garantir la viabilité du système d'enseignement supérieur. Nous ne pouvions plus faire exception et surtout maintenir un système de formation universitaire au rabais.

Le paradoxe est que face à cette situation, l'État ne se désengageait pas pour autant. Il maintenait son effort budgétaire tout en changeant sa philosophie concernant les bourses et les œuvres universitaires. Le budget de l'ex-université de Yaoundé tournait autour de 15 milliards de FCFA. Tandis que les frais de scolarité annuels de la nouvelle Université catholique d'Afrique Centrale s'élevaient à 500 000 FCFA, elle attirait tous les meilleurs étudiants, à tel point qu'elle refusait même des inscriptions.

Obliger les étudiants à s'acquitter d'un minimum de droits universitaires, c'était aussi les inciter à prendre conscience qu'on ne va pas à l'université par défaut, parce qu'on y était accueilli sans autre condition que celle de l'obtention du baccalauréat. Comment expliquer à ces jeunes bacheliers qu'aller à l'université ne signifie pas perdre du temps dans le campus ou profiter des avantages qu'elle offre pour se loger aux frais de l'État et y vivre avec sa famille ? Comment leur faire comprendre que l'admission aux études universitaires nécessite une véritable implication et un réel engagement personnel ? Comment expliquer aux parents qui s'étaient habitués à voir leurs enfants bénéficier d'une bourse d'Etat et d'une inscription gratuite dans l'enseignement supérieur, que les finances de l'Etat ne le permettaient plus et que cette situation était, en définitive, contre-productive ? Certains parents semblaient ravis que l'Etat s'occupe intégralement de la scolarité de leurs enfants mais ne voulaient pas se rendre compte que cela coûtait très cher à la collectivité, pour produire, au bout du compte, une majorité de chômeurs.

3) L'ouverture.

Les nouvelles universités devaient être des institutions étroitement liées à leur environnement régional immédiat et répondre aux besoins économiques de cette région. Les futurs IUT (Instituts Universitaires de Technologie), connaîtraient une place privilégiée au sein des grandes écoles.

4) Un statut motivant pour les enseignants.

Cela devait passer par une redéfinition de leur profil

et de leur carrière, en privilégiant l'excellence et la probité intellectuelle, fondements de toute promotion.

5) Le campus universitaire devait être géographiquement clos, tout en devenant un temple ouvert de la science, de la connaissance, du savoir et de la recherche technologique la plus pointue...

Cette réforme vit finalement le jour par décret présidentiel du 19 janvier 1993. Elle fut bien accueillie par certains mais suscita évidemment, comme toute réforme, le mécontentement d'autres. Ceux qui perdaient quelques privilèges répandirent des inepties sur une reforme qu'ils n'avaient pas lue. Ce fut le cas d'une minorité agissante et remuante, excitée à l'excès par certains nouveaux chefs exaltés des jeunes partis radicaux.

Dans les suites de cette réforme, j'eus droit, pendant de nombreuses années, à des corbeilles bien achalandées de quolibets irrévérencieux ou grossiers : j'aurais été celui qui essayait d'empêcher les bacheliers d'entrer à l'université en y imposant des frais d'inscriptions, je serais celui qui voulait créer une université pour les riches, etc. Tout était dit mais personne ne cherchait à savoir dans quel état étaient les finances de notre pays et personne ne voulait prendre conscience de l'état calamiteux dans lequel se trouvait notre université. Ceux qui, avant moi, avaient laissé pourrir la situation étaient ravis de me voir devenir la cible de toutes les critiques. Cependant, j'assumai entièrement cette réforme. C'est aussi cela être un homme d'État.

Après six mois d'expérimentation et de rodage, les six universités nouvellement créées atteignirent leur vitesse de croisière, fortes d'une nouvelle philosophie porteuse d'espoir. Cette mission était accomplie, mais une autre s'annonçait.

9. La révision de la Constitution

Le vent de la démocratie qui avait commencé à souffler au Cameroun se transforma très vite en un ouragan incontrôlable. La violence insolente des « villes mortes » paralysait Douala, le poumon économique du pays. Les cendres de l'embrasement du campus universitaire étaient encore tièdes. La radicalisation de certains nouveaux partis s'affichait avec désinvolture, confondant liberté et anarchie. Au même moment le Cameroun, timidement, frappait à la porte du Commonwealth...

Le projet d'une « conférence nationale » exigée par l'opposition et préconisant la refonte de toutes les institutions en place fut sèchement écarté par le pouvoir en place. Néanmoins, un compromis fut trouvé sur une « assemblée consensuelle », la « Tripartite », composée de la majorité, de l'opposition et de la société civile. Elle eut pour mission de débattre de tous les problèmes majeurs de la nation.

Il en résulta de nombreuses recommandations, dont la révision de la Constitution en vigueur depuis 1972. Cette recommandation spécifique avait pur but de favoriser :

1. l'équilibre et l'indépendance des pouvoirs exécutif, législatif et judiciaire,

2. la limitation des mandats du président de la République (deux fois 5 ans),
3. la création d'un conseil constitutionnel,
4. la création d'une 2ème chambre parlementaire,
5. la régionalisation.

C'est dans cet environnement socio-politique des plus fébriles que le président de la République me nomma Secrétaire Général à la Présidence de la République du Cameroun (SG/PRC) avec comme mission prioritaire la révision de la Constitution. Je fus plutôt surpris, n'étant pas juriste de formation. Mais c'était-là une instruction formelle à laquelle je ne pouvais me dérober...

Les recommandations consensuelles de la Tripartite furent notre référence. Ensuite, je fis appel, dans le secret le plus absolu, à deux éminents publicistes camerounais, l'un plus âgé maître de conférence et l'autre, plus jeune, chargé de cours à l'université de Yaoundé. Je n'ai jamais décliné leur identité, pour des raisons de sécurité, mais un jour l'histoire s'en chargera. En attendant, qu'ils trouvent ici tous mes compliments pour la maîtrise de leur science, pour leur abnégation et la contribution essentielle qu'ils apportèrent dans la discrétion la plus totale.

A trois, nous allions œuvrer à la construction d'un projet d'importance capitale : tandis que je veillais à la dimension politique, ils se consacraient pleinement à l'aspect strictement juridique du projet constitutionnel.

Il faut rappeler qu'une Constitution, c'est l'essence même d'une orientation politique bien déterminée, exprimée et enveloppée dans un langage juridique approprié.

Pour nous imprégner de ce qui se passait ailleurs, je conduisis, avec mes deux collaborateurs juristes, une mission de consultation en Espagne, en Italie et en France, eu égard à l'expérience de ces pays en matière de gestion des collectivités territoriales décentralisées. En décembre 1995, le président de la République put présenter le projet de loi constitutionnelle à l'Assemblée nationale. La Constitution de 1972 fut ainsi révisée le 23 décembre suite au plébiscite d'une assemblée plurielle (168/180 députés) et promulguée par le chef de l'État le 18 janvier 1996. Très lourde mais exaltante mission ! Le pari fut presque réussi...

De la nouvelle Constitution, on notera particulièrement :

1. 13 Titres pour 69 articles : une concision qui devait en faciliter la lecture et l'application,
2. une intégration de la diversité linguistique et culturelle, clamant l'unité dans une seule et même nation, jalouse de son indépendance, de son attachement aux libertés fondamentales inscrites dans la Déclaration des droits de l'Homme, la Charte des Nations Unies, la Charte africaine des droits de l'Homme et des Peuples, puisque le préambule devenait partie intégrante de la nouvelle Constitution par l'article 65,

3. une recherche claire d'équilibre et d'indépendance entre les pouvoirs exécutif, législatif et judiciaire, l'autorité de ce dernier devenant un pouvoir à part entière,

4. la limitation des mandats du président de la République du Cameroun à deux fois sept ans (article 6, alinéa 2),

5. la création d'un Conseil constitutionnel (article 46),

6. la régionalisation (article 55) par la création des collectivités territoriales décentralisées, régions et communes, ayant pour mission de promouvoir le développement économique, social, sanitaire, éducatif, culturel et sportif de ces collectivités... Ce transfert de compétences devait rendre le citoyen directement responsable de son propre destin quotidien.

Mais le titre XIII (Des dispositions transitoires et finales), dans son article 67, que nous n'avions pas voulu, fut de trop : un morceau de coloquinte amère dans une salade de fruit douce et sucrée. Notre équipe fut tout simplement écartée lors de son élaboration secrète, à la dernière heure. Et pour cause ! La rédaction de cet article venait anéantir tous les efforts consentis par mes collaborateurs et moi-même pour parvenir rapidement et efficacement à une amélioration de nos institutions. Il stipulait en effet : « Les nouvelles institutions de la République prévues par la présente Constitution seront progressivement mises en place.

1. Pendant leur mise en place et jusqu'à cette mise en place, les institutions de la République actuelles

demeurent et continuent de fonctionner :

a- Le Président de la République en exercice demeure en fonction jusqu'au terme de son mandat en cours, sous réserve de l'application des dispositions prévues à l'article 6 alinéa 4 de la Constitution ;

b- Les députés à l'Assemblée Nationale restent en fonction jusqu'à la fin de leur mandat en cours, sous réserve de l'application des dispositions de l'article 8 alinéa 12.

3. L'Assemblée Nationale exerce la plénitude du pouvoir législatif et jouit de l'ensemble de prérogatives reconnues au parlement jusqu'à la mise en place du Sénat.

4. La Cour Suprême exerce les attributions du Conseil Constitutionnel jusqu'à la mise en place de celui-ci.

5. L'organisation territoriale de l'État reste inchangée jusqu'à la mise en place des régions ».

Cet ajout malheureux, aux fins inavouées, servait sournoisement les intérêts personnels des détenteurs du pouvoir. Avec ces quelques phrases, le texte de la nouvelle Constitution, construit avec labeur à la suite d'un consensus national, subissait une transformation au-delà de toute équivoque : elle devenait un texte informel, dépourvu de force, un véritable serpent de mer perdant, avant même d'être appliqué, sa valeur fondamentale de référence dans la vie institutionnelle de notre jeune nation en quête de démocratie. Autrement dit, le chef de l'Etat venait tout simplement de trouver le moyen d'éviter d'appliquer la nouvelle

Constitution et gardait le maximum de pouvoir concentré entre ses mains. Il maintenait donc les institutions en l'état, le plus longtemps possible, afin d'éviter toute possibilité d'alternance au Cameroun.

Le cynisme venait, encore, de gagner. Quels gâchis ! Le Cameroun manquait ainsi une énième fois l'occasion d'entrer dans l'univers de la démocratie... Ce fut une épreuve difficile pour moi mais je ne pouvais préjuger, à ce moment-là, des véritables intentions du chef de l'Etat ni des initiatives ou des actions à venir.

Par après, je fus bien obligé de me rendre compte qu'il n'avait jamais eu l'intention d'appliquer cette nouvelle Constitution. Après de longues années d'agonie, victime des humeurs et des caprices du prince, elle finira par rendre l'âme, comme tant d'autres initiatives qui auraient mérité d'aboutir.

Certains peuvent à juste titre se demander à quoi auront servi tous ces efforts pour rédiger un texte constitutionnel qui n'entrera jamais en vigueur. Pour ma part, j'ai la conscience tranquille car j'ai fait mon travail avec abnégation, soutenu par des collaborateurs dévoués. Nous avons tous cru être utiles à notre pays pour la construction collective et solide de la démocratie. Apparemment, nous nous sommes trompés !

10. L'organisation du 32ème sommet de l'OUA à Yaoundé

Lors du 31ème sommet de l'OUA à Addis-Abeba en 1994, le Cameroun s'était engagé par un accord à organiser le sommet suivant à Yaoundé, en 1996. C'était-là une victoire politique et diplomatique prestigieuse, qui aurait pu l'être aussi sur le plan économique.

Le président Biya pressentit le secrétaire général de la présidence que j'étais comme organisateur dudit sommet... Encore ! Respectueusement, je déclinai cette énième mission, eu égard à la dimension écrasante de la lourde machine administrative que je dirigeais déjà. Je lui proposai même deux autres hauts responsables, le directeur du cabinet civil ou le ministre des Relations Extérieures. En vain ! Après de brefs échanges avec le chef de l'État, je compris que c'était là une instruction formelle, à laquelle, comme précédemment, je ne pouvais me dérober. Je devais donc assumer mes responsabilités quotidiennes à la présidence et gérer en même temps l'organisation d'un sommet d'une aussi grande importance. Il n'est pas inutile de souligner que mes capacités de travail donnaient probablement au président l'impression que je ne méritais que peu ou pas de repos au vu des charges qu'il ne cessait de m'attribuer.

Les dés furent jetés et le comité national d'organisation (CNO) fut créé par décret présidentiel en mai 1995. Composé de dix membres, j'en fus sans surprise désigné président. Ce comité devait concevoir l'organisation et la coordination de toutes les activités nécessaires à la préparation et au déroulement de ces assises. L'article 8 disposait que les frais d'organisation du 32ème sommet et de fonctionnement du CNO étaient pris en charge par le budget de l'État, bien que nulle disposition n'avait été prise pour budgétiser cet événement. Les choses ne s'annonçaient pas faciles.

En septembre 1995, seulement dix mois avant le début des assises, je reçus en consultation les directeurs généraux des principales entreprises publiques et parapubliques afin de trouver les voies et moyens permettant de soutenir financièrement l'organisation du sommet, l'économie nationale étant en réanimation sous la férule des bailleurs de fond internationaux (FMI, Banque mondiale, Banque Africaine de Développement et autres...). Une somme de 54 milliards pouvait être réunie en sollicitant les entreprises, sans les déstabiliser aucunement, en fonction de leurs ressources propres et suivant leur initiative et leur consentement. Cette somme était d'ailleurs remboursable par la suite sur la base d'accords entre ces entreprises et l'État. La crédibilité de l'État était en jeu et le report ou l'annulation des assises n'était ni négociable ni envisageable. En attendant l'aval du président de la République, je fis ouvrir un compte bancaire en attente, dans une banque de la place, la SCB (Société Camerounaise de Banque). Mais cette proposition fut rejetée, avec bien entendu l'accord tacite du chef de l'État, par le ministre des Finances, sans m'avoir consulté au préalable. Je finis toutefois par avoir gain de cause car un budget extraordinaire ad hoc fut arrêté à hauteur de 10 milliards de FCFA par le président lui-même, dix jours seulement avant l'ouverture des assises. Les fonds provenaient d'une société publique ayant pignon sur rue et non de plusieurs entreprises comme je l'avais préconisé.

Le montant alloué au Secrétariat général de la présidence fut de 935 millions de FCFA, c'est-à-dire moins de 1/10ème, en caisse d'avance : 500 millions en espèce, logés par mes propres soins dans le compte en attente de la SCB et quelques jours plus tard, le restant par un chèque au ministère des Finances de la BEAC, banque centrale, tiré dans le même compte, et tout ceci dans la transparence la plus absolue.

Le 20 juin 1996, ce ne fut qu'à cette date que l'encaisse globale autorisée par la caisse d'avance fut disponible, c'est-à-dire dix jours à peine avant le début de l'événement. Quel dilettantisme ! A quelles acrobaties exténuantes fûmes-nous astreints du fait de cette gestion moyenâgeuse ! Cette insouciance et ce bricolage dans la gestion des grands événements nationaux ou régionaux sont habituels chez nous. Les responsables politiques ne considèrent jamais qu'ils déshonorent leur pays ou qu'il portent lourdement atteinte à la réputation du Cameroun en agissant avec désinvolture dans des situations de ce type. Malgré tout, le 32ème sommet de l'OUA connut un grand succès. Le Cameroun eut l'immense honneur de compter parmi ses illustres hôtes M. Nelson Mandela et M. Yasser Arafat. Le président Biya avait réussi son pari : il endossait, triomphant, les oripeaux de président de l'OUA, redorant ainsi sur le plan national son blason de président de la République du Cameroun. Et notre pays en sortait également grandi... J'avais accompli ma mission dans des conditions difficiles mais j'étais fier de voir mon pays respecté et traité avec égard par nos hôtes.

Deux jours seulement après la clôture des assises, les services financiers du Secrétariat général de la présidence firent l'objet d'un contrôle inopiné du ministère des Finances ! Je n'ai pas compris le sens de ce contrôle intempestif alors que le ministère des Finances ne m'avait pas facilité la tâche au moment de l'ouverture du compte à la SCB. Néanmoins, je mis tous les documents comptables à la disposition des contrôleurs financiers. Au terme de ses enquêtes et observations, un satisfecit fut donné par le ministère des Finances quant à la gestion des fonds relatifs à l'organisation du sommet.

Curieusement, quelques années plus tard, au rang des inculpations du « rouleau compresseur » mis en place contre moi, figurera celle de tentative de détournement de fond de 54 milliards. Cette accusation infamante sera démentie, par la suite, par trois constats judiciaires : un réquisitoire définitif du Ministère public du 14 août 2008, une confirmation de parfaite gestion de l'Expert commis par le magistrat instructeur et une ordonnance du juge d'instruction. Et, last but not least, il faut préciser que le compte incriminé s'était retrouvé excédentaire de 11 millions de FCFA, du fait d'un don de l'ambassade du Japon en soutien à l'événement et donc logé dans le même compte de la SCB. J'ajoute une remarque importante au sujet de cette fausse polémique : il n'y eut jamais aucun contrôle de gestion concernant les 9 milliards octroyés aux autres différents intervenants et acteurs des assises...

Étais-je la seule cible de ce contrôle ? Pour quelles raisons ? Était-ce une action préméditée ou un piège ? Je l'ignore, mais quoiqu'il en soit, je n'y serais pas tombé... « Fornus pecuniare, fumus animare » disait, il y a fort longtemps, le Pape Léon ; cet aphorisme conserve aujourd'hui toute sa valeur : « l'intérêt de l'argent est la mort de l'âme ». La noble philosophie de l'être finit toujours par triompher de celle grossière et dégradante de l'avoir...

Malgré cette séquence relativement trouble, je pouvais me permettre de dormir tranquillement car je venais d'accomplir avec succès une énième mission colossale au service de mon pays. Bien que je n'en étais alors pas conscient, mon équation personnelle venait de prendre plus d'envergure...

11. Analyse de notre système politique et de son chef

Cela faisait bien des années que je travaillais avec le président Biya. J'ai eu le temps de l'écouter, de l'observer, d'analyser ses décisions et ses actes. J'ai scruté ses silences, ses propos quelques fois sibyllins, ses manœuvres derrière des comportements en apparence anodins ou inoffensifs. J'ai beaucoup appris et j'ai aussi compris. Je suis venu à ses côtés croyant travailler pour le Cameroun mais, peu à peu, j'ai commencé à me demander si je travaillais réellement pour le Cameroun ou plutôt pour lui. Le système qui était en place servait-il le peuple ou un homme ?

Fort de mon expérience politique, de mes analyses personnelles et de ma proximité avec le chef de l'Etat, j'ai pu comprendre comment fonctionnaient les arcanes du pouvoir dans mon pays.

La philosophie du système n'a jamais été explicite bien qu'elle ait été mûrement réfléchie. Le chef de l'État l'a longuement conçue avant de la mettre en œuvre avec un talent exceptionnel. Tel un démiurge, il a réussi à se faire aduler en donnant vie à un rêve personnel longtemps et habilement dissimulé, le rêve du triomphe inespéré d'un banal individu à la recherche d'une omnipotence quasi-surnaturelle. « Il suffit d'un petit coup de tête, et vous n'êtes plus rien du tout », lâcha-t-il, de façon étonnante mais significative, en 1986, lors d'une interview accordée au journaliste vedette de la télévision camerounaise Eric Chinje ...

Cette pensée monstrueuse l'aura hanté et habité en permanence. En quelques années de pouvoir, il a laissé s'évaporer les pseudo-élans patriotiques et humanistes qu'il affichait au départ. Celui qui s'était montré proche des Camerounais et qui s'adonnait aux bains de foules, a progressivement pris ses distances avec le peuple. Ce peuple, qui lui avait pourtant tout donné après la tentative du coup d'État du 6 avril 1984, était désormais abandonné. Il avait perdu le contact avec son chef adoré du « renouveau ».

Sûr de la consolidation de son régime et de la pérennité de son pouvoir, le chef de l'Etat a fini par s'enfermer dans une bulle aseptisée, protégé par un petit clan complice, féroce et insatiable, un clan qui constitue un écran hermétique entre lui et le peuple, tel un véritable oppidum. De plus en plus absent, le Prince ne se privait plus d'afficher avec beaucoup de mépris son parfait désintérêt de la chose publique, y ajoutant l'offense d'un silence condescendant. A chacun de constater que s'est appliquée et continue de s'appliquer l'horrifiante maxime : « régner sans gouverner dans une jouissance gratuite, pérenne et ostentatoire ».

La méthode pour parvenir à cette fin a été simple : jouer de la violence et de la terreur, au gré de ses humeurs et des rumeurs, pour asservir ses collaborateurs et soumettre l'ensemble de la population. A tout cela s'est ajouté le règne d'une corruption endémique, protégée et encouragée par un laxisme et une impunité aussi étonnants qu'insupportables. Ce cocktail explosif a anéanti préventivement et durablement toute velléité de contradiction, de contestation et d'opposition. Dire que l'opposition camerounaise a été laminée est un bel euphémisme. La terreur a longtemps excrété une prétendue paix qui est régulièrement brandie comme un étendard dont tous les Camerounais devraient se sentir fiers. Au nom de cette paix, personne n'est autorisé à critiquer, à remettre en question, à douter. Tacite disait : « Où ils font un désert, ils disent qu'ils ont donné la paix ».

L'administration a été détruite par décret. Chaque nomination est un appel non pas à servir le pays mais à servir le chef qui reste attentif aux actes qui seront posés en sa faveur. Dans cette logique, il ne s'agit plus de promotion au mérite ou à l'ancienneté, mais de cadeau. L'État, désormais affaibli, a été vidé de son essence et le peu de pouvoir qui restait entre les mains de ceux qui prétendaient le détenir pour l'exercer à des fins honorables, a été anéanti. Aujourd'hui, l'administration camerounaise n'est que l'ombre d'elle-même. Dirigée par cette petite bourgeoisie pseudo-politicienne, créée ex-nihilo, qui s'est appropriée tous les pouvoirs et tous les moyens de l'État, notre administration ne remplit plus sa mission de service public. Elle a appris à se montrer conciliante uniquement avec ceux qui « parlent bien »... Celui qui ne « parle pas bien », c'est-à-dire qui refuse d'agrémenter sa demande de quelque somme de monnaie sonnante et trébuchante, peut attendre une éternité, au cadastre, au ministère des Finances et même à la mairie, le document dont il a besoin et qui est son droit le plus élémentaire. Et celui qui n'a pas les moyens de « bien parler » n'a d'ailleurs aucun recours puisque ce sont parfois de hauts responsables de l'administration qui sont les instigateurs, et les plus grands profiteurs, de ce système.

L'administration est ainsi devenue le cauchemar de millions de Camerounais, traumatisés par leurs différentes expériences dans tel bureau, tel guichet, tel service. C'est l'outil de prédation dont se sert la caste dirigeante qui continue de se gargariser de ses privilèges, sans aucune pudeur et ce, malgré tous les fléaux et tous les vices qui mènent notre pays vers l'abîme. Elle affiche avec une arrogance sans pareil son pouvoir de destruction, convaincue qu'elle est éternelle et irremplaçable.

Dans le même temps, la jeunesse, notre force, notre avenir, notre relève est abandonnée sans aucun repère, sans espoir et sans perspective, prête à en découdre à la moindre étincelle. Les conséquences de ce travail de sape contre la nation, fait de perversité, d'incompétence et d'égoïsme, constituent une véritable forfaiture sur tous les plans. Le Cameroun, en agonie, saigne de toutes parts. Le vaisseau, au mât désormais brisé, sombre. Non ! Nous ne devons pas laisser faire ça. Nous ne devons pas croiser les bras et regarder couler le bateau à bord duquel nous sommes embarqués.

Voilà pourquoi ce système et son chef, après plus de trente-cinq ans de leurre prémédité, ont définitivement perdu leur légitimité ! Totalement disqualifiés, ils devraient avoir l'humilité de reconnaître qu'ils ont déçu le peuple et qu'ils ont poussé la nation à la dérive. Notre pays a donc le devoir de reprendre en mains son propre destin, pour que les Camerounais redeviennent ce qu'ils étaient au autrefois : un peuple digne et respecté.

12. Ma rupture définitive d'avec le système Biya

L'analyse que je viens de présenter n'est pas récente. En réalité, ma conviction était faite bien avant 1997. Mais la déchirure avec le système en place se fit progressivement, sous le feu et au gré des événements, jusqu'à ce que j'acquiers la certitude que je ne pouvais plus être d'aucune utilité à mon pays en restant à l'intérieur du dispositif établi.

En septembre 1996, au terme d'un énième remaniement d'une gouvernement sans objectif, je fus parachuté d'une façon cavalière, en mon absence, à la tête du ministère de la Santé publique. D'aucuns de mes féroces détracteurs, amis de jour, ennemis de nuit, entonnèrent en chœur un hymne de requiem, triomphant de me voir « relégué enfin à mes bistouris ». Avec un plaisir juvénile, ils exprimèrent à ma place mon supposé mécontentement. A leur endroit, encore aujourd'hui, je garde beaucoup d'indulgence...

Loin de vivre cette nomination comme une dégradation ou une humiliation, je considérai en effet cette nouvelle affectation comme un défi supplémentaire. Défi d'ailleurs exaltant puisqu'il s'agissait de réunir mes deux expériences, celle de médecin et celle d'homme politique, pour améliorer les conditions de travail des professionnels de santé et celles de prise en charge de la population. Le chef de l'Etat m'envoyait-il à ce poste pour redresser un système de santé en piteux état ou espérait-il que j'allais enfin échouer après tout ce que j'avais réussi jusque-là ? Qu'attendait-on de moi au juste, puisque je n'avais pas été consulté au préalable ? Malgré ces interrogations et ce doute sur les véritables objectifs de ma hiérarchie, encore une fois, je repris mon bâton de pèlerin et parcourus les dix provinces du pays, les unes après les autres, pour m'enquérir sur le terrain de l'état réel de nos formations hospitalières et m'enrichir des échanges avec le personnel médical, paramédical, administratif et autre...

J'en revins complètement stupéfait ! Ce que j'avais vu partout, c'était un personnel clochardisé, des salles d'hospitalisation délabrées, reconverties en de véritables mouroirs, où les garde-malades attendaient paradoxalement avec espoir le dernier souffle du patient qui viendrait ainsi mettre un terme à une laborieuse agonie. Tous les services étaient en ruine, le plus sollicité, malgré tout, étant celui de la morgue, où gisaient pendant de longues semaines des macchabées préposés à des enterrements soi-disant dignes, susceptibles d'occulter et de compenser la misère des dernières heures. Pour le médecin que je suis, ce spectacle était insupportable. Je découvrai avec beaucoup de désarroi les conséquences d'une absence de politique de santé publique réfléchie et structurée.

Depuis mes constatations alarmantes de 1996, l'état de délabrement des hôpitaux du Cameroun s'est encore dégradé...

De retour de ce périple harassant, j'organisai un « Forum National de la Santé » : de larges débats et échanges eurent lieu en vue de trouver des solutions concrètes aux problèmes recensés. Les conclusions de ce forum furent qu'une réforme globale et profonde (encore !) était indispensable : le chantier était titanesque ! Celui-ci exigeait un pouvoir politique et une marge de manœuvre dont je ne disposais pas. Une telle réforme ne peut en effet s'accomplir que si des moyens importants sont mobilisés et si elle s'accompagne, de façon harmonieuse, de la réforme d'autres secteurs de la vie publique. Curieusement, c'est par cette affectation apparemment « disciplinaire » que le destin me révéla avec certitude la nécessité de mon engagement politique.

Je pris alors conscience que cette nomination n'avait pas pour but de voir redresser le système de santé de notre pays, mais probablement de me punir de quelque chose. Mais de quoi ? C'est ainsi que je pris, en toute sérénité, ma décision, légale et légitime, de quitter ce gouvernement dépourvu d'ambition, de vision et de cap. Un gouvernement naviguant à vue, au gré des situations et des opportunités. J'annonçai aussitôt ma candidature à l'élection présidentielle à venir :

« ... Il y a environ quinze ans, je m'engageais en

politique pour un idéal, pour un système de valeurs sociales bien défini. J'y consacrais ma vie professionnelle et privée, avec foi, sans regret, m'impliquant nuit et jour avec générosité, quelques fois même avec obstination, fier de servir mon pays (...).

Aujourd'hui, à l'heure du bilan du système, le constat, pour peu qu'on veuille bien être honnête, est, hélas, dramatiquement désolant sur les plans institutionnel, économique, social, culturel... Personnellement, pour mes convictions politiques, j'aurais été très tôt combattu par une minorité soi-disant pensante et influente, mais ô combien hypocrite et limitée, du système. J'aurais été combattu par des tentatives permanentes d'humiliation, des manœuvres inavouées d'intimidation et de délation. Grâce à dieu, je restai imperturbable, m'évertuant à donner, comme beaucoup d'autres Camerounais, du souffle à un système qui se vidait inexorablement de sa substance. Aujourd'hui dans notre société, le rêve et la foi en l'avenir ont disparu, laissant la place au désespoir, à la résignation collective (...).

Devant cette situation générale de dépit et dans l'impossibilité personnelle de participation libre et active à la construction de mon pays, droit et devoir de tout Camerounais ; après une profonde réflexion, loin de toute pression et en harmonie avec ma conscience, j'ai décidé :

- de mettre un terme à partir de cet instant à mes fonctions de ministre de la Santé publique. Dans les heures qui suivent, ma candidature de démission sera transmise à Monsieur le Premier ministre, chef du gouvernement ;

- libre désormais de tout engagement politique, j'ai décidé de me déclarer candidat aux prochaines élections présidentielles ».

J'ai payé mon départ, ma rupture d'avec un système politique médiocre, violent et antidémocratique, et mon audace, de dix-sept années de prison. Un record peu glorieux pour notre pays...

13. Années de répression barbare

Il est toujours malaisé, voire très inconfortable, de devoir décrire soi-même la torture subie, endurée, étant certain que le bourreau cherche à vous donner la mort. Entre dire l'indicible et se taire par pudeur, la marge est très étroite. Il ne me reste qu'à partager tout simplement, ce qui peut l'être, de ces dix-sept ans de terreur oppressive et répressive...

Deux jours seulement après ma démission, mon passeport me fut abusivement confisqué. L'univers de la terreur se devait de m'accueillir, anonyme, otage sans défense, soumis aux affres d'une longue et illégale détention. Il faut dire que jusqu'à mon dernier portefeuille ministériel, je ne fus jamais soupçonné du moindre écart dans ma gestion des affaires publiques. C'est après ma déclaration, jugée à l'époque fracassante, que ma vie a basculé et qu'une pluie d'accusations s'est abattue sur moi.

Après un bref séjour de dix-neuf jours à la maison d'arrêt de Yaoundé, je fus séquestré dans des conditions inqualifiables, dans les caves de la gendarmerie nationale, piégé dans une cage hermétique de 8m2 environ, sans fenêtre et souterraine. Un véritable mouroir, sans ouverture, obscur et non ventilé, aux murs de béton humides, infesté de rats, de souris, de cafards, de moustiques et autres reptiles, et scellé par trois portes blindées. Durant toute ma détention, j'ai subi un régime drastique d'isolement : 23 heures par jour de réclusion pendant sept ans, 21h30 par jour pendant dix ans. Chaque jour, chaque nuit passée là était une victoire de la vie contre la mort. Ce ne furent cependant que des victoires à la Pyrrhus, tant le prix à payer était élevé... A cet isolement s'ajouta une oppression permanente puisque je restai sous la garde rapprochée de deux groupes d'élite de la gendarmerie nationale, lourdement armés, 24 heures sur 24.

En 2003, je fus victime d'une hémorragie digestive suraiguë, due à la complication d'un ulcère gastrique requérant une lourde réanimation en soins intensifs à l'hôpital général de Yaoundé. En cours de soins, à peine environ trois semaines après mon hospitalisation, je fus brutalement extrait de mon lit à 21h, violemment traîné par terre, devant mon épouse, par des éléments cagoulés de la gendarmerie nationale, puis ramené jusque dans mon bunker. J'avais sans doute donné l'impression inattendue de résister à la mort et déjoué sans le vouloir leur pronostic macabre. En 2006, en pleine nuit, dans l'obscurité de ma cage, je fus victime d'un décollement de rétine de mon œil gauche. Une intervention ophtalmologique en urgence fut nécessaire.

En 2013, dix après le premier incident, je connus une récidive d'hémorragie digestive, tout aussi grave que la précédente, nécessitant elle aussi des soins intensifs, cette fois au CHU de Yaoundé. Après quatorze jours d'hospitalisation, je décidai moi-même de regagner mon bunker, évitant ainsi d'être à nouveau l'objet de brutalité, selon le traitement réservé à l'increvable que j'étais devenu...

En ces trois occasions dramatiques, n'ayant jamais consulté aucun médecin au préalable, je dus devenir mon propre médecin et faire moi-même le diagnostic de mes douleurs, en évaluer la gravité et l'urgence, avant de me confier à mes anciens élèves en place, devenus aujourd'hui de brillants professeurs de médecine. Je leur exprime ici, de nouveau, toute ma gratitude et mon estime pour m'avoir sauvé et la vie et la vue. Vous êtes dignes pour avoir perpétué le patrimoine reçu... et m'avoir ainsi honoré...

Durant ces années, d'autres épisodes vinrent alourdir ma souffrance et mes angoisses, notamment sept vols commis avec effraction à mon domicile, perpétrés par des professionnels. Bien que dénoncés à la police et à la gendarmerie, ces actes ne firent l'objet d'aucune enquête ni d'aucune poursuite... En 2003, comble de l'horreur, la petite sœur de mon épouse, qui demeurait avec elle à notre domicile pour atténuer sa solitude, fut sauvagement assassinée par quatre individus armés. A la suite d'une plainte contre X, le Procureur de la République classa purement et simplement ce dossier de meurtre sans suite. Révoltant ! Pour avoir osé annoncer ma candidature à l'élection présidentielle et avoir dit non à un système qui était en train de détruire mon pays et qui brimait la majorité des Camerounais, j'étais devenu un homme à abattre, un homme à éliminer et ma famille devait périr avec moi. C'est le sort qui m'était réservé.

Pendant dix-sept ans, le pouvoir judiciaire m'aura amèrement déçu. J'ai vu les juges à l'oeuvre. J'ai vu la machine à broyer se déployer contre un citoyen qui avait dignement servi son pays et j'ai imaginé ce que pouvaient vivre des milliers de Camerounais face à cette machine de destruction. Soumise avec lâcheté au système de gangstérisme d'État organisé et à son chef, la justice transformera sans vergogne ses nobles prérogatives en une arme redoutable, tel un glaive glacial qui décapite avec froideur tout citoyen résistant non coupable... Plus tard, je découvrirais à quel point la corruption s'était installée dans cet univers censé être prestigieux, le gangrenant dans toutes ses dimensions et ses moindres recoins. Quel désastre ! J'ai compris aux postes de responsabilités que j'avais pu occuper jusque-là que mon pays sombrait. J'ai découvert, en subissant l'appareil judiciaire dans ce qu'il a de plus abject, que le système qui gouverne le Cameroun n'a rien d'un Etat de droit.

Déclenchée le 20 avril 1997 par ma démission d'un gouvernement, assortie d'une simple déclaration de candidature à l'élection présidentielle, cette affaire ubuesque et dramatique prendra une tournure inattendue le 18 février 2014 : ce jour-là, je recouvrai ma liberté par un décret présidentiel alambiqué et truffé d'ambiguïtés. Ce que les Camerounais ont retenu de la grâce qui m'a été accordée, c'est que j'ai en quelque sorte bénéficié d'un cadeau du chef de l'Etat. En réalité, je n'ai jamais demandé aucune faveur autre que la vérité et la justice sur ce qui m'est réellement reproché. J'espère qu'un jour toute la lumière sera faite sur cette affaire d'Etat.

14. La corruption généralisée et ses ravages

La corruption est une rupture consciente et volontaire avec ce qui est juste, ce qui est droit, ce qui est vrai. Elle est une expression humaine de faiblesse morale. En général sporadique et circoncise, elle a pris progressivement une envergure exorbitante dans notre société. Aigüe, subaigüe, chronique, elle est devenue endémique, au-delà de tout entendement, asphyxiant toute velléité d'émancipation et d'épanouissement individuel et collectif. Pour la réduire drastiquement à sa plus simple expression, à défaut de la juguler complètement, il faut essayer de comprendre et d'identifier ses origines et ses ressorts, au moyen d'une analyse sans complaisance.

En matière de corruption, il faut examiner trois sphères interdépendantes qui s'enchevêtrent avec complexité et complicité :

- la corruption des consciences ;
- la corruption dans les actes et dans les faits ;
- la corruption politicienne.

La corruption des consciences

Le régime politique en place au Cameroun a, avec un

rare talent, construit secrètement un environnement social des plus malsains, sous des apparences anodines. Pour assujettir sans coup férir le citoyen, il s'est assigné comme devoir de briser au préalable son intégrité morale. Conquérir définitivement les consciences par une offre alléchante et d'accès facile, ouvrant vers un univers édénique d'opulence dont la devise serait : « s'enrichir vite et sans effort ». Pour cela, l'univers des valeurs, exigeant du travail, de la performance, voire de l'excellence, a été tout simplement anéanti au profit de celui de la médiocrité, érigée en référence absolue. Par valeur, j'entends comme déjà explicité ailleurs, toute qualité inspirée du Bien, du Beau, du Vrai et du juste.

Aujourd'hui au Cameroun, à la suite d'une manipulation perverse et permanente des consciences, la corruption est non seulement tolérée mais admise comme une règle de la vie quotidienne, une sorte de « passage obligé », presque une « normalité ». Enveloppée qu'elle est dans un laxisme complice de la part des autorités politiques au plus haut niveau, elle est perçue comme l'instrument de prédilection, l'outil incontournable pour une montée assurée, sans heurt, dans l'échelle sociale. Concrètement, pour obtenir un poste, il faut corrompre, pour réussir à un examen ou à un concours, il faut corrompre, pour bénéficier d'une promotion, il faut corrompre.

Cette réalité est un procédé cynique que l'on fait miroiter sans cesse à une jeunesse désemparée par la misère et l'absence de perspectives. Corrompre ou être corrompu n'est, dans les faits, pas répréhensible au Cameroun malgré l'annonce récurrente de mesures dites anti-corruption.

La corruption, fléau des consciences, a infiltré, tel un cambouis visqueux, toutes les couches de la société ; envahi comme le vent, verticalement et horizontalement, tous ses compartiments ; enivré de sa fragrance diabolique les individus et les collectivités ; brouillé de son filtre mortifère toutes les consciences. Oui, le citoyen camerounais admet sans vergogne être corrompu, à cette nuance près que les autres le seraient toujours un peu plus que lui. La seule consolation qui lui reste, c'est celle des damnés, condamnés à survivre ou à mourir ensemble, emportés par cette hydre impitoyable qui détruit tout sur son passage.

Ceux qui osent résister à ce fléau sont mal vus et considérés comme des gens « naïfs » ou manquant de « réalisme ». La situation de certains de nos agents administratifs, de certains de nos chefs d'entreprise, de certains de nos concitoyens, qui subissent les foudres de leur famille, de leur conjoint, de leurs amis ou de leurs collègues parce qu'ils refusent de se laisser corrompre, n'est pas facile. On leur rétorque en général qu'ils ont tort de ne pas faire comme les autres. En clair, celui qui ne parvient pas à « manger », peu importe le moyen, ne vaut rien. La corruption est donc érigée en valeur cardinale. A la fin, les uns et les autres finissent par sombrer dans une sorte de misère mentale et cèdent ainsi à des comportements qui n'ont plus rien à voir avec l'éducation traditionnelle et moderne qui a été transmise à plusieurs générations d'enfants de notre pays. Voilà le triomphe dégradant et diabolique d'une aliénation programmée que le système en place a obtenu ! Quelle horreur !

La corruption dans les actes et dans les faits

Au quotidien, tout est régi par la corruption dans notre pays. Du sourire constipé de la vendeuse aux éclats de rire sardoniques des signataires de contrats mirobolants, tout s'achète et se monnaye. La corruption, c'est la vie ! Sans elle, c'est la mort. Et des gens meurent dans les hôpitaux publics parce qu'ils n'ont pas les moyens de corrompre le médecin ou l'infirmier. Ils meurent aussi de souffrance ou de misère faute d'avoir pu se procurer le document administratif dont ils avaient besoin pour changer ou améliorer leur situation. Ceci montre à quel point la corruption est devenue la clef sans laquelle aucune porte ne s'ouvre.

Difficile de parler encore de dignité ou de fierté nationale quand le sens des valeurs et de la morale publique est à ce point perdu. Pour comprendre jusqu'où nous sommes allés, suivons plutôt le parcours de Tara, ce Camerounais anonyme dont la vie ressemble à celle de la plupart de nos compatriotes aujourd'hui...

Tara est un citoyen d'environ 45 ans, marié, père de quatre enfants, cadre comptable très apprécié d'une société parapublique bien en vue. Suite à un ajustement structurel brutal, il est « compressé », entendez licencié de son poste dans le jargon du pays, sans indemnité ni aide quelconque. Sa « naïve » honnêteté professionnelle d'hier n'a pas payé, il ne le comprendra que bien plus tard. Débute alors un rude calvaire.

Pour qu'il survive, sa sœur, grâce à l'emprunt d'une tontine, lui permet d'acquérir une guimbarde fort amortie, préposée au service de taxi dans la capitale. Reste que pour exercer cette activité, l'obtention préalable d'une licence est nécessaire. Parcours abrupt ! Tara se retrouve au ministère des Transports. Il s'engouffre dans le hall et s'entend héler avec vigueur : « Hé Monsieur, où vas-tu si vite sans dire bonjour ? ». Tara se retourne et se retrouve face à l'huissier de service. « Si c'est pour une licence, revenez plutôt après-demain ! », assène-t-il, le menton carré et relevé. Mais Tara est armé. Il roule aussitôt entre ses doigts un vieux billet de 500 FCFA et le salue d'une poignée très fraternelle. Vive le sésame ! « Mon frère, c'est au 3ème étage, 2ème porte à droite », murmure rapidement l'huissier.

Tara frappe à la porte, il est accueilli par le silence glacial d'une secrétaire apparemment « sourde et muette ». Mais Tara est encore armé. Par un habile mouvement de doigts, il dévoile un billet de banque alléchant à la secrétaire qui esquisse un sourire radieux et lui obtient un rendez-vous avec le patron pour le lendemain. Alors que Tara pense être arrivé au bout de ses peines, c'est avec le patron que les choses se compliquent vraiment. Tara constate que les petites coupures qui avaient fait des miracles jusque-là sont devenues inopérantes et que c'est bien plus qu'un billet de 10 000 FCFA qu'il va falloir sortir... Tara n'en peut plus. Les décaissements semblent ne jamais devoir finir... Au bout de six longs mois de patience, Tara, exténué, finit par obtenir sa licence de taxi. Pire qu'un accouchement aux forceps... Ce retard ne l'empêche pas d'exercer provisoirement son nouveau job, dont les maigres revenus serviront à corrompre tous ses interlocuteurs pour décrocher définitivement sa précieuse licence.

Pendant tout ce temps cependant, il doit également faire face aux tracasseries policières organisées pour lui prélever une partie de sa recette. Comme il n'est pas encore en règle, certains policiers se livrent avec enthousiasme au contrôle de ses papiers, non pas pour le sanctionner ou lui interdire de conduire un taxi sans licence, mais pour lui extorquer quelques billets.

Au milieu de tout cela, Tara doit survivre, s'occuper de ses enfants et honorer les multiples charges familiales qui l'accablent. Il doit notamment inscrire sa dernière fille en classe de sixième dans un bon établissement public. Lorsqu'il parvient jusqu'au bureau du proviseur, la très aimable secrétaire de ce dernier lui brandit 6 listes de 150 élèves chacune : « Il n'y a plus de place », lâche-t-elle sans regarder Tara. Mais, une fois encore, Tara est venu armé : une enveloppe de 100 000 FCFA crée miraculeusement par gemmation une place qui n'existait pas un instant auparavant. 150 ou 151, la différence mathématique est pour le moins insignifiante... Quelques semaines plus tard, une scène analogue se produit aux urgences de l'hôpital public. Une aide-soignante au visage hermétique se répandra en sourires aussitôt après avoir reçu quelques billets des mains transpirantes de Tara et s'appliquera alors à poser une perfusion au bras de son épouse terrassée par une crise de paludisme.

Je vous fais grâce des mésaventures de Tara, dans les multiples et sombres couloirs des ministères tels que celui des Finances, de la Justice, de l'Éducation Nationale, dans les allées des jurys de concours...

A la longue, Tara prend de l'âge et se fatigue inexorablement. Les sommes laissées ici et là pour obtenir le moindre document ou la moindre prestation des services publics sont colossales. Mais dans son village, une autre épreuve de taille l'attend. Il doit impérativement établir le titre foncier du domaine familial, en vue d'un partage équitable du terrain entre ses huit frères et lui. Alors que Tara cherche les moyens de faire face à une telle dépense, il ne sait pas que la solution sera plus rapide que prévu. C'est le géomètre sollicité qui la donne avec une facilité déconcertante. Sur les 10 hectares de terrain, ce dernier s'en octroiera 6 en guise d'honoraires. Un choix qui vaut obligation ! N'ayant pas d'économie pour résoudre la question lancinante du titre foncier, il sera contraint d'accepter la proposition de l'aigrefin. Jusqu'au village, la corruption a poursuivi Tara...

Quelques années plus tard, Tara est retrouvé perdu au fin fond de ce village, désormais hémiplégique, dans une chaumière délabrée, mais l'œil toujours brillant de fierté. Non loin de là, on aperçoit une villa cossue, propriété du « bienfaiteur et bienveillant géomètre d'hier »... L'épouse de Tara est décédée depuis longtemps déjà. Ses trois enfants, diplômés d'université, sont au chômage ; sa dernière, mère célibataire de trois enfants en bas âge, est devenue maîtresse de maison. La corruption a anéanti les espoirs, l'enthousiasme et la joie de vivre de Tara. Elle a gangréné sa vie comme elle gangrène notre pays tout entier.

Aujourd'hui au Cameroun, il y a des millions et des millions de Tara, aux histoires similaires... Ils continuent à sillonner, fébriles, épuisés et désespérés, les sinistres couloirs des services publics et privés. Ils sont loin de penser que leurs malheurs proviennent d'une conspiration hautement réfléchie et programmée par ce que nous appellerons la corruption politicienne.

La corruption politicienne

C'est le sommet, la pointe en cristal de la pyramide où réside l'essence même de la « pensée-corruption ». C'est elle qui anticipe, crée, nourrit, entretient les deux autres qui n'en sont que des émanations.

La corruption politicienne revêt différents visages et prend différentes formes. L'une de ses manifestations les plus évidentes est celle de la nomination par décret, qui ouvre une parenthèse dorée pour l'heureux désigné, sous les acclamations et les congratulations les plus bruyantes et les plus ostentatoires. « Maintenant, on va manger ! »... La disgrâce, toujours par décret, viendra refermer cette parenthèse, accompagnée d'un lugubre requiem. Le promu s'est retrouvé pris dans une nasse qui s'est progressivement rétrécie sous lui, victime souvent volontaire d'un piège habilement conçu.

Alors, entre les deux parenthèses, prendra place la frénésie de jouissance ostentatoire des faibles d'esprit. Détournements de fonds à coup de millions et de milliards. Blanchiment d'argent étalant toutes ses tentacules : villas, hôtels, palaces, ranchs, surgissent en quelques mois, quelques années, du néant. Colonnes de grosses cylindrées encombrent des parkings improvisés à ciel ouvert. Les banques, exigeant dorénavant l'origine des avoirs, se voient délaissées au profit des bas de laine, pleins à craquer, enfouis dans les celliers souterrains des domiciles. Lorsque les billets ainsi dissimulés commencent à souffrir de l'humidité, leur détenteur profite d'un bon week-end ensoleillé pour les sécher à l'abri des regards indiscrets. Voilà à quel genre de pratiques il est possible de s'adonner dans le Cameroun d'aujourd'hui.

Pour maintenir l'idée fausse que seule une poignée

d'individus égarés sont corrompus ou corruptibles, quelques arrestations sont organisées afin de faire croire à la masse de la population, naïve, que le système se corrige et s'améliore, au moins de temps en temps. On se ravise, toujours trop tard, dès lors qu'un proche en devient la victime. La tragi-comédie dans cette escroquerie est l'humiliation qu'infligent ceux, encore plus corrompus, qui prétendent rendre la justice. Ils frappent des cibles désignées à l'avance par le pouvoir et ne portent jamais le regard sur les prédateurs insolents qui méritent toutes les attentions de nos enquêteurs.

Qui a dit que le système en place n'avait pas de projet de société ? Voilà pourtant un projet qui a remarquablement réussi et qui a été exécuté de main de maître : corrompre et inciter à corrompre pour mieux contrôler un peuple appauvri, asservi et en profiter le plus possible soi-même.

Face à cet univers macabre et pernicieux, il existe cependant une race, certes fort rare mais extrêmement redoutée, celle des incorruptibles, celle composée d'individus férus de principes, vibrant de puissance morale, animés d'une foi indéfectible et inébranlable en des valeurs. Ce sont des Camerounais vertueux, au civisme irréprochable, qui travaillent avec fierté et dignité pour leur pays. Ils sont dans la police, l'armée, aux impôts, aux ministères des Finances, de la Justice, des Transports, aux douanes, bref partout. Parce qu'ils refusent d'être asservis par l'agent facile, ils subissent parfois la violence du système. Ils peuvent être accusés arbitrairement des pires actes parce qu'ils en savent trop sur la corruption au sein de leur service et au sujet de leurs supérieurs hiérarchiques. Des rumeurs ridicules et abjectes peuvent circuler à leur encontre pour les traumatiser, les intimider, les dissuader de vouloir dénoncer qui que ce soit. Certains se voient refuser des avancements amplement mérités, d'autres sont victimes de harcèlement moral pour qu'ils abandonnent leur poste et qu'ils écopent d'une sanction pouvant aller jusqu'au licenciement. Ces Camerounais là sont l'honneur de notre pays. Je pense à eux et à ce qu'ils endurent au service de la nation.

Je le dis avec force et beaucoup de fierté : c'est à cette dernière race de Camerounais que j'appartiens. Il me revient d'ailleurs sur la corruption une petite anecdote que j'ai vécue personnellement dans l'exercice de mes responsabilités. Quelques semaines après ma prise de fonction en tant que Secrétaire général à la présidence de la République, je reçus en audience un entrepreneur milliardaire du Cameroun. Après les compliments d'usage, il me soumit deux problèmes concernant ses affaires qui le taraudaient. Je lui demandai de les transcrire par un courrier officiel, ce qu'il fit d'ailleurs par la suite et des solutions furent trouvées avec célérité. C'était pour moi logique et naturel d'aider un entrepreneur camerounais à résoudre des questions administratives relatives à son activité. Il fut sans doute heureux du traitement rapide que reçut sa requête. Mais avant de prendre congé, il avait sorti de sa serviette une enveloppe blanche : « Excellence, me dit-il, voilà trois millions de FCFA en guise de félicitations pour votre brillante et récente nomination. C'est un petit cadeau qui vous permettra d'acheter un peu de champagne pour vos nombreux et prestigieux visiteurs ! ». Son œil brillant et son large sourire s'assombrirent aussitôt à ma réponse : « Monsieur, dis-je, je suis désolé mais je suis très bien payé pour mon travail. Donc, non merci, je ne peux accepter votre geste de générosité ».

Une semaine plus tard, lors d'une séance de travail en tête-à-tête avec le président de la République Paul Biya, ce dernier me surprit en me glissant à la fin : « Ah ! Monsieur le Secrétaire général, hier j'ai reçu un homme d'affaires très impressionné de vous voir décliner son amabilité et l'enveloppe de 3 millions de FCFA qu'il vous proposait ! ». En guise de réponse, j'esquissai tout simplement un petit sourire. C'était un matin du mois d'octobre 1994. Sans commentaire...

Lorsque je me suis insurgé contre ce système en 1997, environ trois ans après cet échange avec le chef de l'État, beaucoup de Camerounais n'ont pas compris le sens de ma réaction car pour m'empêcher de parler, on m'a arrêté et écroué sans motif valable. C'est seulement après mon arrestation que les autorités se sont attelées à monter un dossier d'accusation, puis la machine à broyer s'est aussitôt mise en mouvement pour me lyncher, en m'accusant tout à la fois de corruption et de détournement de fonds publics. Je crois et j'espère qu'en voyant ce que vivent de nombreux Camerounais et ce qu'est devenu le pays, beaucoup peuvent aujourd'hui mieux comprendre ma rupture fracassante et définitive d'avec ce système pervers, pernicieux et malsain, il y a plus de vingt ans.

Ils peuvent aussi davantage comprendre l'acharnement dont j'ai été l'objet. J'en connaissais suffisamment sur le pouvoir en place pour apparaître comme une menace et me suis fait prendre au piège, comme d'autres, dans la nasse. Ma chance est que j'appartiens à une autre race : celle des gens de principes et de valeurs. C'est pourquoi je suis sorti de ce système tel un silure, propre et indemne. Tout l'arsenal répressif de l'État fut mis en branle pour déceler quelque défaillance dans ma gestion des affaires publiques. En vain !

Certains peuvent manifestement détourner plusieurs milliards de francs CFA et ne pas pas être inquiétés. J'ai refusé ce système de corruption et d'asservissement et j'en ai payé le prix fort : celui d'une féroce et barbare répression à travers une torture longue de dix-sept années, accompagnée des calomnies les plus ubuesques et des rumeurs les plus folles, abusant de la crédulité et de l'ignorance populaire, le tout dans l'intention affichée de me tuer.

Dans l'interminable série d'épisodes me concernant, je n'en ai choisi qu'un seul : celui de mon arrestation et de ma condamnation :

- le 20 avril 1997 : je démissionne du gouvernement et annonce ma candidature à l'élection présidentielle ;

- le 22 avril 1997 : mon passeport est confisqué par la Police de l'Emmi-Immigration ;

- le 6 mai 1997, est rédigée une lettre (n°00134) de menace et de mise en garde par le préfet de Mfoundi (Yaoundé), suivie de l'exécution d'une garde-à-vue administrative signée par le même préfet avec un service spécial (système 3/8 du 690) ;

- du 15 mai au 2 juillet 1997, des enquêtes et investigations en cascade sont menées par la Police judiciaire, basées sur des rumeurs les plus grotesques, notamment sur :

* un supposé détournement de deniers publics concernant un supposé détournement de créances issues d'une banque BBC qui n'existe pas ! Je découvrirai plus tard qu'il s'agissait plutôt de la liquidation de la banque BCCI (Bank of Credit and Commerce), dont j'avais reçu le « pouvoir » du Président Biya, afin de négocier le paiement des créances de ladite banque, le 22 septembre 1994 (voir annexe N°1). Cette mission fut accomplie avec succès, seulement le recouvrement eut lieu pendant que je me trouvais déjà séquestré à la gendarmerie nationale. Mes détracteurs avaient fait courir la rumeur selon laquelle j'avais détourné 120 milliards. Vérification faite auprès de l'avocat-priseur, expert en la matière, qui avait été commis par nous et suivait le dossier, il apparut que je n'avais commis aucun détournement. La déception, pour mes détracteurs, fut de taille. Dossier classé, avant même qu'il ne soit ouvert ! Cela n'empêcha pas qu'il

rebondisse, cette fois sous les accusations de faux et usage de faux : à titre de preuve, mes accusateurs fourniront une copie avec cachet sec, issue des archives, l'original étant détenu par le seul secrétaire général à la présidence que j'étais. Les deux documents n'étant pas identiques, ils seront confondus et ils abandonneront purement et simplement cette pseudo-inculpation. Je paierai cher cette résistance car sept vols seront commis manifestement par des professionnels, à mon domicile, pour retrouver l'original du « pouvoir » qui m'avait été donné par le président Biya, en vain ! La septième tentative de vol se soldera par l'assassinat de ma belle-sœur, qui se trouvait alors à mon domicile.

*deux procès-verbaux de la PJ concernant de multiples enquêtes improvisées sur des supposées affaires ne retiendront aucun grief contre moi.

*enragée de constater qu'aucun des griefs ne prospérait, ma « hiérarchie » poussa à la rédaction d'un troisième PV, étayé dans les courriers du 13 mai 1997 (n°047/CAB/SGPR) et du 6 juin 1997 (n°045/CAB/SGPR) aboutissant finalement, malgré l'absence d'éléments probants, à mon déferrement.

- le 3 juillet 1997, je suis déferré (premier déferrement) devant le Procureur de la République, magistrat instructeur, qui m'inculpe, sans m'avoir entendu sur quoi que ce soit, pour détournement de fonds publics, en co-action avec Atangana Thierry, pour la somme de 2,6 milliards de FCFA concernant la gestion du COPISUR (Comité de pilotage et de suivi des projets routiers), dont la création me sera attribuée à tort (voir annexe N°2 : arrêté n°142/CAB du président du 8 juillet 1994), ce qui est facilement vérifiable puisque cette création était antérieure à ma nomination du 21 juillet 1994 par décret présidentiel n°94/142. Ce fut ma première inculpation avec mise sous mandat de dépôt.

Le dossier COPISUR 1 restera au fond des tiroirs de différents magistrats instructeurs et Procureurs de la République, jusqu'en 2008 où un juge d'instruction, après m'avoir entendu et fort d'une expertise commise par le Procureur, remettra tout simplement une ordonnance de non-lieu. En appel, le bureau de contrôle, sous la haute pression de la Chancellerie, balaiera ce jugement d'un revers de la main, sans motiver sa décision. Cette pseudo-affaire prendra bien 16 ans pour connaître une fin aussi lamentable que le reste de la procédure : la veille du délibéré, la Chancellerie fit remplacer deux des trois juges de la collégialité, par deux nouveaux, ignorant absolument tout du dossier.

En 2013, le COPISUR 1 se solde par une condamnation scandaleuse de 20 ans de prison ferme, un record pour la durée d'une affaire criminelle de ce genre dans nos archives judiciaires ! Ce verdict d'exception s'ajoutait à une durée de détention préventive tout aussi exceptionnelle de 16 ans, effectuée, là encore, dans des conditions exceptionnelles, puisque c'étaient les délices du cachot qui avaient été réservés à l'inculpé honni que j'étais.

Ce ne fut pas le seul dossier géré au mépris de la loi et du droit dans mon affaire, puisque le 5 août 1997, je fus une seconde fois déferré, à la suite d'une seconde inculpation, toujours en co-action, pour un prétendu détournement de 350 millions de FCFA concernant la gestion du COPISUR (sic, encore !), après une unique audition de pure formalité. Il y eut donc une affaire « COPISUR 2 »...

Celle-ci fut traitée avec beaucoup plus de célérité que la première puisque mon jugement intervint dès le 30 octobre 1997 ! Il n'en fut pas pour autant plus régulier, et pour cause ! En pleine nuit et en une seule nuit (entre 19h00 et 3h00 du matin), il fut décidé d'une mise en délibéré, séance tenante, sans l'assistance d'aucun avocat, par trois juges s'arrogeant les droits d'impérium. Je serai condamné en co-action (toujours !) à un emprisonnement ferme d'un an avec confiscation de tous mes biens et obligation de remboursement de 350 millions de dommages-intérêts à l'Etat qui s'était porté partie civile. Ce fut là encore un record, mais cette fois un record de rapidité, que seule une justice expéditive, s'exerçant au mépris de tous les droits de l'accusé et ignorant toutes les règles d'un procès équitable, pouvait rendre.

Je tiens à préciser cependant que la condamnation fut jugée indulgente par mes bourreaux, le réquisitoire du Procureur ayant été la peine de mort. Mais à ces deux records de course de vitesse et de fond, il faut adjoindre un troisième tout aussi inédit : celui du non respect d'un principe hérité du droit romain, valable dans tous les pays dits démocratiques et entériné par la justice internationale, à savoir que nul ne peut être poursuivi ou puni pénalement deux fois pour les mêmes faits (« non bis in idem »).

Au cours de cette longue et misérable saga, j'ai vécu, constaté et analysé avec froideur la corruption des consciences, la corruption dans les actes et dans les faits, la corruption politicienne... J'avais le devoir, tôt ou tard, de partager avec mes compatriotes mon exploration de ce monde perverti. Aujourd'hui, cette mission est accomplie.

A la fin, tous mes biens me furent confisqués, d'aucuns vendus aux enchères à mes propres bourreaux. Qu'importe. Ces derniers, toujours fébriles, continuent de m'attribuer des immeubles ou des propriétés imaginaires, dans le seul but pernicieux d'entretenir éternellement à mon sujet une diffamation en règle. En l'occurrence, ils m'attribuent deux gigantesques immeubles en pleine ville, en béton, non achevés, en état de profond délabrement. Ces immeubles n'ont jamais été ma propriété. D'ailleurs, si tel avait été le cas, il y a fort longtemps que mes accusateurs les auraient confisqués comme ils l'ont fait pour les biens qui m'appartenaient vraiment...

Il faut souligner que le président Biya m'avait donné les pleins pouvoirs pour agir en son nom, par un décret donnant : « délégation permanente de signature à

Monsieur Titus EDZOA, secrétaire général de la présidence de la République, à l'effet de signer, au nom du Président de la République, toutes pièces et correspondances relatives aux affaires administratives courantes » (voir annexe N°3 : décret N°94/157 du 4 août 1994). Le président Biya m'aurait-il donné un tel pouvoir, qui n'a jusqu'ici été accordé à aucun autre secrétaire général à la présidence du Cameroun, sachant en outre que mes actes pourraient le compromettre directement, si j'avais été un corrompu ?

Il est très curieux que les accusations de corruption et les enquêtes visant ma personne aient débuté seulement au lendemain de l'annonce de ma candidature à la magistrature suprême et que d'autres que moi, exerçant de très hautes responsabilités et étant notoirement impliqués dans des affaires de corruption, n'aient jamais été inquiétés ni poursuivis. Ma candidature aurait-elle été prise pour une menace contre le chef de l'Etat et le système qui gangrénait notre pays ?

Aujourd'hui, les temps sont venus de mettre fin à ce gangstérisme d'État allié à la corruption généralisée, un fléau majeur et monstrueux de notre société. La corruption politicienne ne peut être extirpée de notre pays que par l'écroulement définitif du système qui l'a créée et qui continue de l'entretenir...

15. La crise anglophone et l'urgence d'une solution

Au départ, je ne percevais pas la spécificité et l'acuité du problème politique de la région dite anglophone car je me limitais exclusivement à son aspect socio-économique, cette région du pays ne dérogeant pas à la règle de misère endémique qui frappe toutes les autres, du fait de l'incompétence, de l'irresponsabilité et du laxisme de ceux qui nous gouvernent. Aujourd'hui, la crise politique longtemps occultée révèle les contours réels d'un profond malaise qui mérite d'être connu et compris afin d'en trouver les solutions. Pour cela, il convient de revisiter deux volets : l'histoire politique et la dimension socio-économique.

1. Volet historique et politique

Sur le plan historique et politique, trois périodes doivent être distinguées : la période d'avant l'Indépendance, la période du régime du président Ahidjo et la période du régime du président Biya.

- Période d'avant l'Indépendance, 1er janvier 1960

En juillet 1884, un accord entre deux commerçants allemands de Hambourg, Edouard Schmidt et

Johannes Voss, et les rois Douala (King Akwa, King Bell, King Deïdo) fait du Kamerun un protectorat allemand. Ces rois abandonnent totalement leurs droits de souveraineté, de législation et d'administration.

Au mois de février 1916, l'Allemagne perd le Kamerun pendant la Première Guerre mondiale sous les assauts franco-britanniques. Le 29 mars 1916, un accord entre la France et la Grande-Bretagne organise le partage du Kamerun entre ces deux puissances. La France occupe les 4/5èmes du territoire et la Grande-Bretagne le 1/5ème restant. C'est l'origine de la division de notre pays.

Au mois de juillet 1922, par un accord de mandat, la SDN (Société des Nations, ancêtre de l'ONU), confie l'administration du désormais « Cameroun » à la France et des « Cameroons » à la Grande -Bretagne.

Après la Seconde Guerre mondiale, qui confirmera la défaite de l'Allemagne, le « Cameroun » est placé sous la tutelle de l'ONU qui vient d'être créée ; il est alors décidé de placer l'État du Cameroun (partie francophone) sous la tutelle française et les deux États anglophones, le Northern et le Southern Cameroon, sous la tutelle britannique, relevant de la même administration que le Nigeria.

En conclusion, le Kamerun allemand à l'issue des deux guerres mondiales, sera divisé en trois États, conformément aux résolutions de l'ONU. C'est de là que provient la première division de notre pays, aux conséquences devenues aujourd'hui dramatiques, parce que très mal gérées.

En mars 1959, une résolution de l'assemblée générale de l'ONU demande à la Grande-Bretagne d'organiser des plébiscites séparés dans le Northern Cameroon et le Southern Cameroon pour que les populations décident de leur rattachement soit au Nigeria, soit au Cameroun.

- Période du régime du président Ahidjo, du 1er janvier 1960 au 4 novembre 1982

Le 1er janvier 1960, date officielle de l'Indépendance, le territoire sous mandat français devient la République du Cameroun. M. Ahmadou Ahidjo est élu président de la République le 5 mai 1960. Les 11 et 12 février 1961, un plébiscite est organisé dans les deux territoires, Northern et Southern Cameroons, par les Britanniques, sous l'égide des Nations Unies. Une question unique est posée : « souhaitez-vous accéder à l'indépendance en vous unissant à la République du Cameroun, indépendante, ou en vous unissant à la Fédération du Nigeria indépendant ? ». Les résultats furent les suivants :

* Northern Cameroon : union avec le Nigeria 60 %, union avec le Cameroun francophone 40%.

* Southern Cameroon : union avec le Nigeria 92 000 voix, union avec le Cameroun francophone 233 000 voix.

Le résultat de ce référendum sera contesté par la République du Cameroun francophone aux motifs que le résultat aurait dû être global (Nord + Sud) et non proclamé comme s'il s'agissait de deux États séparés car pour les Camerounais, le Northern et le Southern Cameroons ne constituent qu'un seul État.

Malgré des démarches à la Cour Internationale de La Haye, la décision finale sera celle du rattachement de la partie nord au Nigeria et de la partie sud à la République du Cameroun (résolution 1608 de l'Assemblée générale de l'ONU du 21 avril 1961). Le 1er juin 1961, le Nigeria obtient le rattachement (contesté par la République du Cameroun) du Northern Cameroon. L'État du Cameroun perdait ainsi l'État Northern Cameroon. Des Camerounais devenaient Nigérians par une décision arbitraire internationale ; c'est la deuxième déchirure.

A ce stade, l'on peut évaluer le prix à payer pour maintenir l'unité de ce que fut le Kamerun. Le 11 février, devenu fête de la jeunesse décrétée par le premier président Ahmadou Ahidjo, est un symbole historique ignoré cependant par la masse des Camerounais, en souvenir du plébiscite du 11 février 1961 et en l'honneur du Southern Cameroon qui avait choisi d'adhérer librement à l'État du Cameroun francophone. Du 16 au 22 juillet 1961, la Conférence de Foumban permet que les deux États restants, la République du Cameroun francophone et le Southern Cameroon anglophone s'accordent pour la création d'un État fédéral. Le 1er octobre 1961, une nouvelle Nation est née, qui devient la République fédérale du Cameroun.

Le 20 mai 1972, le président Ahidjo organise un référendum afin que les Camerounais se prononcent sur la fin du système fédéral en vigueur et la réunification du Cameroun oriental et du Cameroun occidental en un Etat unitaire. Le « oui » l'ayant emporté à une large majorité, le pays devient la République unie du Cameroun. Les quatre assemblées jusqu'alors en vigueur sont dissoutes pour former une seule Assemblée nationale. Le drapeau du Cameroun qui portait deux étoiles d'or sur sa bande verte à gauche, symbolisant les deux Etats, comporte désormais une seule étoile, au centre, sur sa bande rouge, qui symbolise l'unité nationale.

- La période du régime du président Biya, du 4 novembre 1982 à aujourd'hui

Une démarche plutôt cavalière et bien dissimulée a conduit le régime en place à remuer les cendres du passé avec la loi n°84-1 du 4 février 1984 qui modifie la dénomination de notre pays, sans explication. La République Unie du Cameroun obtenue le 20 mai 1972 sur la base d'un consensus, devient la République du Cameroun. Cette loi malheureuse anticonstitutionnelle vient tout simplement effacer un processus historique long, douloureux et compliqué, gagné à l'issue de plusieurs consultations populaires, de débats houleux, d'échanges et de tractations politiques difficiles.

Comme on peut le constater sous le régime d'Ahidjo, parvenir à construire et à conserver l'unité de notre pays n'a pas été une tâche facile. L'anéantissement de tous ces efforts sous le régime Biya a été plus rapide qu'on ne pouvait l'imager. Les Camerounais regardaient ailleurs au moment où ce texte a été adopté. Euphoriques qu'ils étaient avec le « renouveau » que prônait le nouveau chef de l'État, ils n'eurent ni le temps, ni la vigilance, pour s'apercevoir que notre unité encore fragile venait d'être brisée. Sortant de plusieurs années de privation de liberté, ils ne remarquèrent pas que le consensus national construit par nos aînés était sournoisement remis en question. Ce n'est que plus tard que je vais moi-même découvrir que l'adoption en catimini et sans le moindre débat de ce texte, était un retour en arrière, un sabordage en règle de la cohésion nationale durement acquise.

- 18 janvier 1996 : la nouvelle Constitution entérine cette nouvelle dénomination, République du Cameroun, comme si elle ne concernait que le seul État du Cameroun francophone, oubliant le Southern Cameroon qui, librement, avait choisi par voie référendaire de s'unir à l'autre, pour former une seule et même Nation. Erreur politique, erreur historique. Nous la payons cher aujourd'hui avec des morts et des blessés graves aussi bien chez les civils que chez nos forces armées.

Pis, les dirigeants du pays ont conservé le 20 mai comme date de la fête nationale de la République du Cameroun alors qu'il s'agit de la fête nationale de la République Unie du Cameroun. Comme le ridicule ne tue pas, nous continuons chaque année de fêter l'unification du Cameroun alors qu'elle a été remise en question par la loi du 4 février 1984. Quel sens donnons-nous alors au monument de la réunification qui trône au cœur de la capitale ? Il faut croire que les dirigeants camerounais actuels ont complètement perdu le sens de l'histoire et des réalités de notre pays.

2. Volet socio-économique

Lorsque le président Ahidjo quitte le pouvoir en 1982, il laisse à son successeur un pays relativement bien portant sur le plan économique. En effet, le Cameroun avait alors atteint l'autosuffisance alimentaire. En 1983, la croissance était de 7%, l'inflation de 14,5% (pas alarmante comparativement à celle des autres pays d'Afrique) ; la dette extérieure, l'une des plus faible du continent, portée de 2,5 milliards de dollars à 3,2 milliards de dollars. Dans la cartographie économique des États africains, le Cameroun n'est, lors du changement de pouvoir, pas très mal classé.

Mais cette situation, qui nous plaçait parmi les pays africains à fort potentiel économique et dont l'avenir s'annonçait prometteur, va rapidement se détériorer.

L'absence d'une orientation économique claire et d'une politique économique réfléchie plongent progressivement le pays dans le marasme. Les premiers signes de fébrilité apparaissent dès 1985. Les résultats sur la plan agricole chutent, l'endettement extérieur se creuse et la production pétrolière stagne. Le Cameroun commence à afficher de sérieuses difficultés financières. Le 16 mai 1988, le président Biya procède à un large remaniement ministériel, qui ne mène cependant à aucune amélioration. La politique d'austérité initiée en 1987 ne donnera pas de résultats satisfaisants non plus.

En 1993, la baisse des salaires des fonctionnaires marque la descente aux enfers de l'administration. La corruption s'installe progressivement dans le pays et le Cameroun commence à souffrir d'une dégradation et d'une carence généralisée d'infrastructures pour assurer son développement économique. Les villes et les villages sont complètement abandonnés et l'ensemble du pays se met à sombrer dans la misère.

C'est dans ce contexte que les régions anglophones, déjà sous-équipées, perdent définitivement l'attention des dirigeants politiques. Le chômage progresse, en particulier chez les jeunes et le désespoir envahit les couches populaires. Même si cette situation n'est pas spécifique à la partie anglophone du Cameroun, toute une série de négligences et de discriminations s'y accumulent, y compris sur le terrain politique.

A titre d'exemples : du 1er octobre 1961 au 6 novembre 1982, la deuxième personnalité du pays en rang protocolaire, selon les accords stipulés, a toujours été un Camerounais issu de la partie anglophone. Actuellement, un regard sur les rangs protocolaires suffit pour constater un flagrant déséquilibre, ainsi ; le président du Sénat est francophone, tout comme le président de l'Assemblée nationale, le président du Conseil économique, le président du Conseil constitutionnel. Seul le Premier ministre est anglophone.

Dans le gouvernement actuel, des 63 ministres, 57 sont francophones et 6 seulement anglophones. Sur 36 ambassadeurs, 30 sont francophones contre 6 anglophones. Et bien d'autres exemples pourraient venir alourdir ce constat. Nos compatriotes anglophones ont exprimé quelques fois leur mécontentement sans que cela soit pris en compte ni ne vienne déranger la tranquillité du chef de l'État...

En réalité, le jeu très ambigu du régime en place a longtemps occulté le caractère historique et politique de la contestation de nos compatriotes anglophones. Ceux-ci ont pourtant contribué à la paix, à la stabilité et à l'unité de notre pays et cela n'a pas été considéré à sa juste mesure par le président Biya et ses mandataires.

En conclusion, le problème dit « anglophone » n'est pas un problème linguistique, mais d'abord un problème d'ordre politique et historique, puis économique. L'unité du Cameroun, issue d'une longue histoire contrastée, est le fruit d'un processus laborieux. Il faut en préserver les acquis et pour cela, la radicalité est à bannir de part et d'autre. De graves erreurs de la part de l'actuel régime ont été commises. Il faut avoir l'humilité non seulement de le reconnaître, mais la volonté de les corriger. A cet égard, il est urgent et indispensable d'établir un véritable dialogue : il doit être initié et piloté, sans délai, par celui-là même qui est le garant devant la Nation de cette unité, à savoir le président de la République, et non mené par procuration ! Que de temps perdu, que de morts, que de souffrances inutiles !

Pour autant, nous demeurons résolument optimiste : « Il n'est pas de situation, aussi tragique soit-elle, qui n'ait sa raison d'être. Il n'est pas d'abîme, aussi profond soit-il, dont on ne peut se sortir... ».

Nous devons retrouver l'unité de notre pays dans le respect absolu de la diversité de nos compatriotes ! La façon dont la crise anglophone est traitée est proprement scandaleuse et démontre, s'il en est besoin, la désinvolture avec laquelle les dirigeants actuels gèrent le pays. Il faut que cela change et que nos compatriotes anglophones retrouvent leur place historique au sein de la maison Cameroun.

16. Mon retour

Après 17 ans de torture, 4 ans de reconstruction minutieuse suite à un syndrome neuro-psychiatrique de stress post-traumatique, je reviens. Je reviens à la vie, les cheveux un peu plus grisonnants, la calvitie peut-être plus large – un signe de sagesse ? –, mais l'œil vif et le pas toujours alerte. Ma longue pratique des arts martiaux et du karaté en particulier m'a été d'un grand secours. Je reviens dans un état de paix intérieure durement acquise, pour avoir accompli ce qui devait l'être en son temps, sans regret, ni rancœur...

Je reviens aussi avec mes convictions politiques d'hier, demeurées intactes mais enrichies par ces années de résistance. Mon expérience, ma formation, mon parcours, exigent de moi que je partage aujourd'hui avec mes concitoyens ma vision politique. Celle-ci est la suivante :

- Notre idéal, c'est notre rêve
- Une société de rêve est une société dont le rayonnement offre à tous les mêmes possibilités d'émancipation ;
- Une société de rêve est une société équilibrée et harmonieuse dans ses différentes composantes, où chacun se sent utile, intégré et reconnu à sa juste valeur ;

- Une société de rêve est une société où l'on crée non seulement pour soi aujourd'hui mais aussi pour les générations à venir ;
- Une société de rêve est une société où le citoyen cesse d'être un anonyme, un individu lambda quasi interchangeable, pour devenir un créateur, un être plein de volonté, qui sera bénéficiaire de ses propres efforts, tout autant que de ceux des autres ;
- Une société de rêve est une société où le citoyen est le créateur de son propre bonheur, avant de le partager avec celui créé par d'autres.

1- Notre idéal, c'est de créer ensemble un Homme, un citoyen idéal, responsable de son propre destin, qui à son tour crée et entretient pour lui-même et pour les autres, une société idéale où il fait tout simplement bon vivre, avec un minimum de confort matériel, mental et spirituel..., dans la sécurité, la dignité et le respect de l'autre.

2- Les fondements de notre idéal

Pour réaliser ce rêve, cette utopie, réalité de demain, notre ambition commune exige une infrastructure, une fondation, un socle solide constitué de valeurs républicaines. Et par valeur, comme stipulé plus haut, nous entendons toute vertu, toute qualité qui produit du Bien, du Beau, du Vrai, du Juste. En s'y référant, chaque citoyen découvre l'opportunité de s'enrichir intérieurement sans jamais appauvrir l'autre, et de s'accomplir soi-même tout en contribuant à l'épanouissement de l'autre. Par cette complémentarité, se construit d'elle-même l'Unité, la vraie, celle qui privilégie le bien commun, dans le temps et dans l'espace, et en toute liberté... Le nombre et le déploiement de ces valeurs ne sont pas exhaustifs. La société elle-même, d'une façon consensuelle, pourra en élargir le registre, et y ajouter par exemple :

- le respect inaliénable de la vie et de la Nature,
- la liberté et la responsabilité,
- la dignité de soi et le respect de l'autre,
- la solidarité et la générosité,
- la protection des plus faibles,
- le travail et la discipline,
- le patriotisme,
- la laïcité et la spiritualité,
- la tolérance et la paix,
- la famille et le rôle éminent de la femme,
- la démocratie,
- etc.

L'Homme, en citoyen, doit en permanence s'abreuver, à tout âge, de ces valeurs républicaines, gages d'une base solide permettant l'émancipation de chacun et le succès de la réalisation d'un idéal collectif... Oui, un Cameroun fort du respect et de la mise en application de ces valeurs librement choisies peut voir le jour et se dresser, au centre du continent.

3- Les instruments de réalisation

Ils sont essentiellement cinq :

- l’instrument culturel,
- l’instrument économique,
- l’instrument politique,
- l’instrument scientifique et technologique,
- l’instrument social : éducation et santé.

* l’instrument culturel

C’est par la culture qu’un individu, voire une société, peut prendre conscience de soi et de sa valeur car la culture est ce monde sans frontières, fait de connaissances stockées dans une bibliothèque universelle virtuelle, prête à enrichir l’âme de celui qui aspire à cet enrichissement. Elle demeure l’une des expressions les plus nobles de l’Humanité, la magnifiant dans ses différentes et nombreuses déclinaisons individuelles et collectives... Cette conception universaliste nous interpelle particulièrement et fait de l’État et de ses divers partenaires dans le monde des acteurs centraux, afin qu’ils créent un environnement propice à l’éclosion de la créativité, et même du génie, qui sommeille en chacun de ses concitoyens.

Les missions demeurent immenses : faire appel à une diaspora puissante et chevronnée, jusqu’à présent peu sollicitée au Cameroun ; créer des écoles des beaux arts ; organiser des festivals nationaux régionaux et internationaux ; construire de vrais musées ; rechercher des subventions auprès des mécènes ; faire de cette richesse culturelle un atout sur le plan touristique, etc. Nos multiples créations artistiques, exceptionnelles expressions de la Beauté, doivent être mises en valeur, appréciées pour leur spécificité, promues au niveau national et international, pour montrer que la culture africaine n'est pas faite que de fêtes populaires, quasi folkloriques, permettant à tout un chacun de se défouler ou de noyer son désespoir.

Le Cameroun recèle d'extraordinaires talents confirmés et reconnus sur la scène internationale. Ils sont nos prestigieux ambassadeurs, honorés et respectés dans divers domaines tels que la peinture, la sculpture, le cinéma, le théâtre, la musique, la poésie, l'écriture et l'art contemporain. Ils doivent être consultés et sollicités pour dénicher et promouvoir les talents qui gisent, inconnus ou insuffisamment connus, dans notre pays.

Dans la perspective d'un nouveau rayonnement de notre nation, l'instrument culturel doit dorénavant constituer un élément majeur et contribuer à dynamiser le secteur économique. Dans le monde moderne, l'artiste, quel que soit son domaine, a cessé d'être le marginal et pauvre acteur qui célèbre pour sa survie, sa propre et éternelle misère.

Il faut souligner que la culture camerounaise, riche de sa diversité, n'est pas réellement prise en charge par nos institutions et que nos autorités ne saisissent quasiment aucune opportunité pour la promouvoir au niveau du continent et au niveau international. Cette situation doit changer afin que la culture de notre pays soit plus visible à l'intérieur comme à l'extérieur de l'Afrique.

* l'instrument économique

Un État efficace est un État capable de développer la croissance pour tous, celle dont chaque citoyen bénéficie, afin d'atteindre un de nos rêves, à savoir : « un jeune, un emploi ».

Notre option est l'économie de marché ouverte et verte. Ses règles sont certes rigoureuses et impitoyables mais elle doit d'abord contribuer au bien-être de nos populations et se construire ensuite sur nos potentialités et nos capacités réelles. Elle sera basée sur le « carré magique » :

- assurer le maximum de croissance
- assurer le plein emploi
- minimiser le taux d'inflation
- assurer les équilibres extérieurs

Ces objectifs peuvent être atteints par :

a. un État efficace : recentré sur ses fonctions régaliennes et réglementaires, déconcentré et décentralisé, bâtisseur d'infrastructures et moteur d'initiatives privées.

b. une croissance inclusive : attribuant de nouveaux droits aux nouveaux citoyens camerounais, améliorant l'environnement des affaires, luttant massivement contre la pauvreté en ville et dans les campagnes.

c. une amélioration de l'image du pays : attirant les investissements étrangers et de la diaspora, sans oublier les fortunes camerounaises. Ceci nécessite une probité du pouvoir judiciaire, une maîtrise dans l'application du droit international, du droit commercial et des affaires, du droit OHADA..., ainsi qu'une lutte vigoureuse et méthodique contre la corruption, hydre qui a infiltré tous les secteurs de la vie publique. Seul l'assainissement de l'environnement économique et juridique peut attirer des investisseurs sérieux dans notre pays et faire fuir les prédateurs qui profitent actuellement de nos richesses au détriment de l'immense majorité de la population.

d. une politique agricole volontariste et l'exploitation judicieuse de nos ressources pétrolières et minières.

e. des droits nouveaux pour les citoyens : le droit au logement, le droit à la protection sociale pour tous, la revalorisation des salaires dans la fonction publique, après une réforme de l'ENAM et une réorganisation nécessaire de la masse salariale.

f. une monnaie régionale flottante : intégrée dans un ensemble économique plus large – CEEAC plutôt que CEMAC –, adossée à un panier de monnaies majeures (euro, USD), pour mieux refléter la diversité des partenaires et pilotée par une banque centrale de plus en plus indépendante...

Tout ce système doit être soutenu par une innovation majeure, à savoir : l'économie numérique, véritable révolution qui doit transformer l'ensemble de nos activités économiques dans tous les secteurs (organisations publiques, créateurs de richesses, secteur privé, ONG, etc.).

* l'instrument politique

« Tous les arts ont produit leurs génies, sauf l'art de gouverner qui n'a produit que des monstres » disait Saint-Just. « La politique est l'art d'empêcher les gens de s'occuper de ce qui les regarde » soufflait avec ironie Paul Valéry. « La politique est à la fois l'art des choix sans retours et des longs desseins », proclamait Raymond Aron, qui plus loin ajoutait : « malgré son imperfection bourgeoise, la démocratie reste le seul régime, au fond, qui avoue, proclame que l'Histoire des États doit être écrite non en vers, mais en prose... ».

Toutes ces définitions et bien d'autres sont extraordinaires, mais en même temps infinies comme l'est l'univers dont elles découlent. A toutes celles-ci et à bien d'autres, je me dois d'en ajouter une, décrivant ce qu'est devenue la politique au Cameroun : la mobilisation et l'utilisation de tous les moyens, quels qu'ils soient, afin de faire triompher le pouvoir absolu d'un individu, lui garantissant une vie de jouissance, sans limite, sans mesure et ostentatoire.

Pour nous, toutes ces définitions sont sans objet, car notre ambition implique que le ou la politique cesse d'être une fin en soi. Faire de la politique ou être en politique devient en substance un outil, un noble instrument préposé au service d'un idéal, d'un rêve, d'une utopie, entendue, je le répète, comme réalité de demain. L'instrument politique doit avoir pour mission la création d'institutions régaliennes, la protection farouche d'institutions républicaines fortes, consensuelles et respectées, celles-ci constituant le fondement même de l'État. Les différents pouvoirs exécutif, législatif et judiciaire doivent s'y référer en permanence afin de promouvoir l'émancipation du citoyen dans la liberté et la démocratie et s'appuyer pour y parvenir sur une administration compétitive, professionnelle et efficace. L'instrument politique doit dorénavant s'harmoniser avec les quatre autres instruments. Sa supposée hégémonie est surannée.

* l'instrument scientifique et technologique

« Science sans conscience n'est que ruine de l'âme » affirmait en son temps Rabelais.

De nos jours, la recherche scientifique et technologique connaît une fulgurante ascension. Les pays les plus industrialisés savent en exploiter les résultats ; ceux qui le sont moins ou pas du tout (et sans doute pour cette raison) en sont particulièrement exclus. C'est un univers clos, mais en même temps ouvert dès lors que l'on a accès à la connaissance et à la maîtrise des règles qui le régissent. Les domaines sont des plus variés : aéronautique, astrophysique, architecture, économie numérique, électronique, génétique, informatique, mécanique, médical, microbiologie moléculaire, nanométrie, nucléaire, nutritionnel, robotique, etc. Le Cameroun doit prendre de toute urgence des mesures conséquentes pour rattraper son retard dans ces domaines de pointe et être en capacité d'offrir des opportunités à ses meilleurs chercheurs, afin qu'ils s'investissent pleinement dans cet univers rare du savoir au service de leurs concitoyens. Promouvoir la recherche scientifique et technologique est indispensable dans notre pays. Il est surtout temps d'y mettre les moyens pour garder nos chercheurs et nos techniciens chez nous.

Cette promotion se fera notamment par :
- une formation pointue ;
- un investissement conséquent ;
- une mise à contribution pleine et entière de la diaspora, dont la double nationalité doit être reconnue sans délai ;
- un partenariat international pluriel ;
- un code éthique...

* l'instrument social : éducation et santé

Même si tous les domaines qui précèdent sont essentiels, les deux priorités des priorités demeurent, dans le Cameroun d'aujourd'hui, l'éducation et la santé.

De l'éducation

Si un enfant est éduqué, il aura appris à se respecter et à respecter les autres.

Si un enfant est éduqué, il intégrera mieux l'instruction qui lui sera transmise.

Si une femme est éduquée, elle ne fera pas exciser ses filles, elle prendra soin de son propre corps et évitera ainsi les MST et les grossesses à haut risque.

Si l'homme est éduqué, il ne sera pas tenté de porter des coups sur une femme ou sur son épouse.

Si l'adolescent est éduqué, il ne tuera point pour s'affirmer, il tolérera l'autre même s'il ne partage pas les mêmes idées que lui.

Si l'adulte est éduqué, il ne détruira pas la nature.

Si les parents sont éduqués, ils transmettront à leurs enfants des valeurs universelles tels que l'amour, la solidarité, la rectitude, la dignité, etc.

Par une éducation et une instruction de qualité, l'État et ses partenaires privés privilégieront des valeurs telle que l'égalité des chances, garçons et filles confondus, pour qu'ils croient en la possibilité de réaliser leurs rêves légitimes et que ces exemples de réussite servent de modèle aux générations futures. Tous ces principes doivent se conquérir à travers notamment :

- une école primaire obligatoire, gratuite dans le secteur public, bilingue pour tous, les handicapés ne dérogeant pas à la règle,
- une séparation entre la gestion des collèges et celle des lycées, avec une limitation à 30-40 élèves par classe,
- le primaire et le secondaire relèveront désormais des académies régionales et inter-régionales, supervisées par l'État,

- un renouvellement sans délai des programmes, tenant compte du monde de l'emploi et de l'évolution vertigineuse de la science et de la technologie ; l'évaluation des élèves sera simplifiée (avec au passage la suppression pure et simple du probatoire),

- une réévaluation, avec reconsidération de la carrière des enseignants du primaire et de l'université,

- une reconsidération des critères d'ouverture des établissements privés et de leur gestion, avec une application rigoureuse des normes établies,

- une éducation civique accompagnant l'instruction tout au long du parcours académique, du primaire à l'université.

C'est ici que se joue l'avenir de la société. Un Cameroun qui se porte bien par l'éducation de ses enfants est une parcelle lumineuse d'humanité.

De la santé

C'est le secteur dans lequel l'Etat doit concentrer ses forces pour obtenir des résultats quasi immédiats. A cet égard, son amélioration passera par :

- une assurance maladie

Par définition, l'assurance maladie est « la réduction ou l'élimination du risque aléatoire de perte de la santé, couru par une personne ou un ménage, en combinant un nombre plus élevé de personnes ou de ménages exposés de la même façon, ceux-ci étant intégrés à un fonds commun bénéfique face à la perte endurée par l'un de ses membres ».

Une santé juste doit donc reposer sur cinq piliers :
a. solidarité et subsidiarité
b. transversalité des actions
c. droits et devoirs des citoyens
d. devoir pour l'État
e. centralité de la personne humaine

L'assurance maladie se réalisera par la création de la couverture sanitaire universelle (CSU) dont l'objectif est de garantir l'accès aux services de santé à toute personne qui en a besoin, sans faire face à des difficultés ou à des obstacles d'ordre financier.

Ses principes devront s'articuler comme suit :

a. garantir ou mobiliser des ressources suffisantes pour la santé, à savoir la priorité budgétaire, la collecte suffisante de taxes, le financement innovant, la solidarité mondiale,

b. minimiser les risques financiers et les barrières en matière d'accès aux soins par un système de subvention pour les plus démunis (aides médicales), une contribution par prélèvements obligatoires, la mise en place de paquets de prestations santé,

c. promouvoir un système efficient, équitable et limiter les gaspillages : gestion hospitalière, motivation des professionnels de santé, lutte contre la corruption, monitoring, ETS (introduction de nouvelles technologies contre l'obsolescence, tels que la télémédecine et l'e-santé).

- une assurance vieillesse

C'est le système qui paie les retraites ; leur montant dépendra de la durée des cotisations (qui reste à définir) et du salaire. Il sera dirigé par un conseil d'administration paritaire protégeant ainsi le mieux possible les intérêts du retraité, abandonné aujourd'hui à un sort lamentable. Ses ressources seront celles versées par les employeurs et les salariés et son principe sera celui de la répartition. Le retraité bénéficiera, en outre, de certaines facilités dans des secteurs sociaux (transports, tourisme, spectacles de culture, etc.).

- une médecine traditionnelle

L'État créera un Conseil National de Médecine Traditionnelle dont la mission sera d'évaluer sans relâche sa propre action, son efficacité et ses recherches, en association avec la recherche scientifique et médicale. En même temps, il décèlera autant que possible les charlatans qui ne cessent d'arnaquer les plus fragiles au sein de notre société.

Je ne peux évoquer le sujet de la santé publique sans dire un mot sur un sujet qui fait aujourd'hui polémique dans le continent africain en général et au Cameroun en particulier, à savoir la question de l'homosexualité. J'aborde ce sujet ici à la fois en tant que responsable politique et en tant que médecin.

Figurant au nombre des énergies naturelles, la sexualité fait partie des énergies à exercer, nous dit le philosophe Christian Jacq ! Elle est un besoin du corps et du mental pouvant être classé dans le même registre que le besoin de se nourrir ou de boire. La sexualité n'est donc pas un mal. Dans la grande majorité des cas, elle se pratique entre deux sexes opposés, c'est ce qui caractérise l'hétérosexualité. L'homosexualité est la pratique de la sexualité entre deux individus de même sexe. Elle est une variante qui concerne une minorité de personnes. Tous les appétits physiques, comme l'hétérosexualité, l'homosexualité, manger, boire, dormir, sont particuliers, même chez ceux qui se déclarent « normaux ».

A la lueur de notre analyse, l'homosexualité peut être divisée en trois groupes :

1. homosexualité génético-psychique : elle est naturelle et innée, et l'individu concerné doit la vivre, certes dans la discrétion pour se protéger des sociétés encore très hostiles, mais comme un droit, sans se culpabiliser. Cette homosexualité doit être protégée par la loi, au lieu d'être réprimée avec violence par des lois archaïques. L'homosexuel doit être protégé non seulement par l'État mais par sa propre famille.
2. l'homosexualité culturelle : par culture, nous convenons avec Ralph Linton que c'est « la confirmation dans des comportements appris de leurs résultats, dont les éléments composants sont partagés et transmis par les membres d'une société donnée ».

Dans ce sens, l'homosexualité n'est pas encore contenue dans la culture africaine. Vouloir à tout prix en faire une exigence absolue de libération, d'émancipation et de sublimation en Afrique est un leurre. Une culture ne s'impose pas ; une culture se construit, par soi-même et dans la durée.

3. homosexualité et perversité : elle est considérée et définie comme un moyen pervers de domination et d'humiliation sur autrui, pour des raisons inavouées (entrée dans des clubs ou clans obscurs pour une promotion sociale dans les secteurs publics ou privés, etc.). Cette homosexualité avilissante doit être combattue avec vigueur par la loi. La pédophilie rentre dans ce sombre registre...

En synthèse, telle est la vision globale de notre projet de société :

* un objectif précis, un idéal, notre rêve qui devient le vôtre. Une utopie, c'est-à-dire la réalité de demain par l'initiative volontariste de chacun de nous : créer un Cameroun où il fait tout simplement bon vivre ;

* un socle d'appui constitué de valeurs républicaines admises et partagées, où l'on peut puiser indéfiniment sans appauvrir l'autre ;

* cinq instruments majeurs pour sa réalisation qui doivent intervenir et s'articuler dans l'harmonie, soutenus en permanence par le génie, la volonté et la disponibilité de chaque citoyen...

17. La diaspora camerounaise : un atout pour la nation

A l'origine, le terme « diaspora » est un mot grec qui désigne la dispersion d'une communauté ethnique ou d'un peuple à travers le monde. Dans l'histoire universelle, les premières diasporas de l'Antiquité ont été grecques, par exemple la diaspora phocéenne, laquelle fonda la ville de Massilia (Marseille) vers l'an 600 avant JC. Aujourd'hui, ce terme désigne par extension l'ensemble des membres d'une communauté dispersés dans plusieurs pays. Écrit avec une majuscule, il désigne exclusivement la diaspora juive.

Au XXIème siècle, le terme « diaspora » désigne d'autres communautés, telles que : la diaspora irlandaise, russe, arménienne, kurde, portugaise, italienne, camerounaise, etc.

L'Union Africaine (UA) a même adapté et donné sa propre définition de ce qu'est la diaspora, à savoir : « des personnes d'origine africaine vivant en dehors du Continent, quelles que soient leur citoyenneté et leur nationalité et qui souhaitent contribuer au développement du continent et à la construction de l'Union Africaine... ». Il faut noter que l'UA souligne le rôle positif que peut jouer chaque diaspora dans son pays d'origine.

Le dynamisme de la diaspora

Les membres d'une diaspora connaissent au quotidien les effets particuliers de leur double appartenance. Ils vivent hors de leur pays mais se sentent en même temps impliqués dans tout ce qui s'y passe, qu'il s'agisse de la situation de leur famille ou des questions qui touchent à la vie de la nation.

Dans ce lien très fort se mêlent à la fois un attachement affectif, atavique et viscéral et une démarche rationnelle, basée sur l'intelligence et la réflexion, qui les conduit à formuler des idées, des projets, des critiques, des suggestions et des propositions pour contribuer à l'évolution de leur pays d'origine. Ils peuvent ainsi constituer non seulement un moteur du développement économique du pays mais aussi en devenir des acteurs essentiels à travers le transfert de technologies, les échanges de connaissances et de savoir-faire, l'amélioration de l'accès aux marchés internationaux de capitaux et commerciaux.

Chukwu-Emeka Chikezie a formulé les 5 C du capital de la diaspora, pour mettre en évidence ses diverses formes d'engagement ; le capital financier, intellectuel, politique, culturel et social. A titre d'exemple, 80% des Investissements Directs à l'Etranger (IDE) en Chine proviennent de la diaspora chinoise. La diaspora indienne installée aux USA a créé une deuxième

« Silicon Valley » en Inde dans le secteur informatique. Et les « success stories » individuelles de personnalités issues d'une diaspora abondent dans le monde entier.

En 2016, le continent africain a reçu entre 60 et 65 millions de dollars de la part de ses ressortissants vivant à l'étranger, dans l'ordre suivant : Nigeria (19 milliards), Égypte (16 milliards), Maroc (7 milliards), Algérie et Ghana (2 milliards chacun). A cet afflux monétaire, il faut ajouter la richesse certes informelle mais inestimable du partage des connaissances et des expériences entre la diaspora et la population vivant au pays et entre les membres de la diaspora eux-mêmes, installés et actifs en divers endroits du monde...

La diaspora camerounaise

La diaspora camerounaise est globalement estimée à environ 5 millions d'individus. Contrairement à ce que l'on pourrait penser, l'Europe et les USA ne constituent pas les destinations privilégiées des Camerounais, puisqu'on n'y recenserait près de 700 000 individus.

En revanche, les Camerounais se retrouveraient majoritairement en Afrique, dans un schéma qu'il convient d'appeler « migration interrégionale ». D'après le ministère camerounais des Relations extérieures, on dénombre en effet :

- Belgique-Pays-Bas (15 000) ;
- France (5 000 étudiants et 8 000 travailleurs) ;
- Allemagne (année académique pour 2012-2013 : 12

000 ingénieurs d'origine camerounaise vivent en Allemagne, arrivés en tant que boursiers d'État. D'autres se retrouvent dans d'autres filières professionnelles, en moindre nombre, mais toujours significatif);

- Asie (5 000) ;
- Gabon (30 000), Tchad (5 000), RCA (5 000), Guinée Equatoriale (16 000).

Ces données ne sont toutefois confirmées par aucune autre source. Elles devront donc être mises à jour par un nouveau recensement et affinées afin d'établir un fichier plus complet avec une classification par âge, sexe, catégories socio-professionnelles.

Ces Camerounais privilégient la réussite sociale et luttent ainsi contre l'exclusion. Ils totalisent de nombreuses « success stories » dans les domaines les plus divers et souvent de pointe. Ainsi, un jeune Camerounais de 26 ans, Arsène Tema Biwole, originaire de Bafoussam à l'Ouest du Cameroun, vient de participer à 59ème réunion de la Société américaine de physique et collabore avec la NASA (National Aeronautic and Space Administration), organisme américain chargé de diriger et de coordonner des recherches aéronautiques et spatiales civiles, suivant en cela les traces de son illustre prédécesseur, le professeur Ernest Simo, docteur en génie électrique.

Autre exemple, les 2/3 des membres de l'Association des pharmaciens africains de France sont camerounais et la plupart sont propriétaires de leur officine. Cela étant, il n'existe pas vraiment de synergie entre les membres de la diaspora intellectuelle, ni même entre celle-ci et les autres catégories de travailleurs. Quel que soit son statut social, le Camerounais de la diaspora est fier de réussir seul, sans l'aide particulière des siens.

En dépit de sa réussite, un problème majeur se pose pourtant à notre diaspora, celui de la double nationalité. La loi du 11 juin 1968, prise par l'ancien régime dans un contexte politique controversé, afin de régler ses comptes avec les exilés politiques camerounais installés notamment en Algérie, en Guinée et au Ghana, a introduit abusivement la notion de déchéance. Son article 31 stipule ceci : « le Camerounais majeur qui acquiert ou conserve volontairement une nationalité étrangère perd la nationalité camerounaise ». Cette loi surannée est malheureusement encore en vigueur aujourd'hui et appliquée à la carte selon des considérations pour le moins arbitraires et étonnantes par le système politique en place...

Or, force est de reconnaître que les temps ont changé car la bi-nationalité est le produit objectif des mutations culturelles telles que la liberté, la démocratie et l'égalité. La bi-nationalité est ainsi devenue incontournable dans le monde moderne, liée à la circulation des hommes, des produits et des idées, à la grande mobilité sociale et professionnelle, à l'installation massive et durable des populations étrangères issues d'aires géographiques et culturelles différentes.

Le code de nationalité doit s'adapter à cette exigence de la réalité moderne. Un citoyen français aujourd'hui est automatiquement citoyen de l'Union Européenne (UE). Le monde tend inexorablement vers un monde sans frontière et le virtuel d'aujourd'hui sera, tôt ou tard, la réalité de demain. Mais au Cameroun, on se méfie de notre diaspora, on la rejette sauf quand elle nous apporte de l'argent et des biens de consommation. Il arrive même qu'on la combatte car elle pointe parfois avec pertinence nos dysfonctionnements internes. Le système en place ne supporte pas d'être critiqué car il refuse toute remise en question objective.

Il est temps que les dirigeants du Cameroun reconnaissent que la plus grande ressource est humaine et que par conséquent, les Camerounais de la diaspora ne peuvent demeurer des parias ou des marginaux. Les pays africains qui ont reconnu la double nationalité et l'ont appliquée sont incontestablement aujourd'hui les plus développés économiquement tels que la Côte d'Ivoire, le Ghana, le Kenya ou le Nigeria.

En conclusion, sur ce sujet essentiel, des mesures urgentes doivent être prises au Cameroun, notamment :

1. Modifier la loi du 11 juin 1968, afin d'autoriser la double nationalité, sans délai.
2. Créer une Direction Générale des Affaires de la Diaspora.

3. Émettre des obligations (diaspora fonds) à souscrire par la diaspora, semblables à ce qui se fait en Israël et en Inde, dans le but de faire participer ses membres qui le souhaitent au financement du développement du pays.

Le Cameroun dispose d'une diaspora dotée de compétences variées, notamment dans le domaine intellectuel, scientifique et technique. Elle est dynamique, intelligente et décomplexée. Sa contribution à de multiples secteurs de la vie politique, économique, culturelle et sociale s'avère aujourd'hui nécessaire et précieuse. Le monde a changé ; le monde continue de changer à une vitesse vertigineuse. Cette vitesse nous oblige aujourd'hui à nous mettre au diapason, si l'on ne veut pas perdre toute chance de participer à la course des nations et de relever les grands défis de ce monde. La diaspora doit y contribuer et nous devons la respecter. Le contraire nous condamnerait à une sorte d'obscurantisme et contribuerait à nous maintenir dans une grande médiocrité et dans une sorte de misère tant collective qu'individuelle. Ça ne devrait pas être cela le Cameroun d'aujourd'hui ni celui de demain.

18. Rapatriement de la dépouille du président Ahidjo

M. Ahmadou Ahidjo a été le 1er Président de la République du Cameroun. Après un règne impitoyable et sans partage de 25 ans, il a démissionné et cédé ainsi le pouvoir suprême, par jeu constitutionnel, au Premier ministre de l'époque, M. Paul Biya.

Très rapidement, une lutte d'hégémonie entre ces deux personnalités a conduit à une tentative de coup d'État le 6 avril 1984 par les partisans de l'ancien chef de l'Etat, alors que ce dernier se trouvait déjà en exil au Sénégal. Accusé de complot contre l'Etat, il est d'abord condamné à mort par contumace, avant d'être gracié ! En 1989, il décède à Dakar où sa dépouille demeure jusqu'à ce jour.

Nous pensons que sa dépouille doit être rapatriée, pour les raisons suivantes :

1. Le Président de la République est une institution en soi, à part entière, et revêt toujours une dimension supérieure à celle d'un individu.
2. M. Ahmadou Ahidjo a été le 1er Président de la République du Cameroun et il mérite, à ce titre, de reposer, pour sa dernière demeure, dans son pays et non dans un pays tiers, fut-il ami...

3. Par reconnaissance et par gratitude envers le pays hôte qui a bien voulu offrir sa fraternité sans rien demander en retour, ne serait-ce que par simple éducation, le Cameroun se doit d'accomplir cet acte...

4. Le rapatriement de la dépouille ne dispense nullement du nécessaire bilan du système politique mis en place par Ahmadou Ahidjo dont ce dernier est seul responsable et comptable devant l'Histoire et le peuple camerounais.

5. Ramener la dépouille de l'ancien Président de la République serait un signe de réconciliation du Cameroun avec sa propre Histoire, un message de paix et d'unité et non un clin d'œil politicien envers la région septentrionale. M. Ahmadou Ahidjo n'a pas été le président d'une région mais de toute la Nation.

A la fin, ce rapatriement doit se faire dans la simplicité et dans la dignité et dans une ambiance républicaine, pour honorer non seulement le Sénégal, pays hôte, mais surtout le Cameroun, éternelle demeure de ses propres enfants, sans discrimination aucune...

19. Honorer les compatriotes sacrifiés pour l'Indépendance

De l'aristocrate Rudolphe Douala Manga Bell au leader charismatique Ruben Um Nyobe, en passant par le docteur Félix Moumié et tous les vaillants nationalistes et patriotes upécistes et non-upécistes, qui ont fait don de leur vie volontairement et involontairement pour la Libération et l'Indépendance du Cameroun, notre histoire commune doit réouvrir ses pages. Tous ces personnages emblématiques méritent une juste reconsidération. Ils ont lutté pour nos libertés, ils ont souffert individuellement et collectivement et certains sont partis prématurément.

Pris dans les affres d'une guerre violente, ils n'ont pas toujours été des enfants de chœur. En face d'eux non plus, ne se trouvaient pas des enfants de chœur. Les archives nationales et internationales doivent être déclassifiées pour permettre une lecture strictement historique et de moins en moins partisane de cette lutte. Certes, des blessures béantes sont encore ouvertes mais nous devons chercher à comprendre pourquoi nos compatriotes ont péri. En dehors de quelques travaux réalisés par certains de nos historiens, qui ont commencé à revisiter ces moments troubles de notre histoire, un travail important reste à faire afin que nous sachions ce qui s'est produit au Cameroun au cours de ces années difficiles.

Au lendemain de l'Indépendance, certains nationalistes camerounais furent traités de maquisards. Au-delà du fait que ce terme traduisait une réalité quant à leur action politique révolutionnaire, il était surtout utilisé dans le dessein de donner une image négative d'eux. Ainsi, l'opinion publique ne considérait pas ou ne devait pas considérer qu'ils avaient joué un rôle essentiel dans la vie politique de notre pays et notamment dans son accession à l'Indépendance. C'est dans cette même optique que nos manuels d'histoire ont longtemps laissé dans l'ombre toutes ces figures à tel point que très peu de jeunes savent aujourd'hui qui étaient Um Nyobe, Félix Moumié, Charles Assalé, Ernest Ouandié, André-Marie Mbida, Martin Paul Samba, Rudolph Manga Bell...

En 1991, le Cameroun a adopté la loi N°91/022 dite de « réhabilitation de certaines figures de l'histoire du Cameroun » ; celle-ci stipule que :

Article 1er.- (1) La présente loi porte réhabilitation de grandes figures de l'histoire du Cameroun, aujourd'hui disparues, qui ont œuvré pour la naissance du sentiment national, l'indépendance ou la construction du pays, le rayonnement de son histoire ou de sa culture.

(2) En application des dispositions de l'alinéa 1 ci-dessus, sont réhabilités MM. Ahmadou Ahidjo, Um Nyobé Ruben, Moumié Félix, Ouandié Ernest.

Article 2.- La réhabilitation visée à l'article 1er ci-dessus a pour effet de dissiper tout préjugé négatif qui entourait toute référence à ces personnes, notamment en ce qui concerne leurs noms, biographies, effigies, portraits, la dénomination des rues, monuments ou édifices publics.

Article 3.- (1) Le transfert des restes mortuaires au Cameroun des personnes citées à l'article 1er ci-dessus, inhumées à l'extérieur du territoire national, peut s'effectuer à la demande de la famille ou de cujus, sous réserve de la dernière volonté du défunt et conformément à la législation du pays d'inhumation.

(2) Les frais occasionnés par ledit transfert sont à la charge de l'État.

Article 4.- Sur proposition du gouvernement ou de l'Assemblée Nationale, le bénéfice des dispositions de la présente loi peut être étendu à d'autres personnes répondant aux critères énoncés à l'article 1er ci-dessus ».

Le problème de ce texte, malgré les intentions nobles qu'il affiche, est d'être resté lettre morte. Ceci est aussi le signe de l'intérêt que nous accordons ou pas à nos lois et aux « grandes figures de l'histoire du Cameroun », et plus généralement, à tout ce qui est susceptible de nous fédérer, au-delà de nos différences régionales, linguistiques, religieuses ou politiques.

Or, au-delà de ces différences, tous ceux et toutes celles qui ont fait don de leurs vies pour une cause sublime nationale méritent de recevoir, à jamais, un honneur particulier.

20. Nécessaire reconnaissance de nos soldats morts aux combats

Notre armée, dite « la grande muette », a toujours œuvré dans le silence ; sa contribution après la lutte d'indépendance et autres combats violents, a toujours été sous-évaluée ou sous-estimée. Et pourtant, de nombreux et vaillants Camerounais, jeunes et moins jeunes, gradés et moins gradés, ont fait don de leurs vies, dans l'anonymat et l'abnégation la plus absolue.

En dépit de certaines atroctés commises, ils méritent d'être honorés d'une façon particulière, en instaurant un monument en hommage au soldat inconnu sur lequel leurs descendants, les officiels de notre pays et les anonymes pourraient se recueillir.

Un tel monument représenterait aussi nos vaillants et courageux compatriotes tombés pendant la Première guerre mondiale, dont les conséquences furent fâcheuses pour notre pays sur le plan humain, économique et territorial. Nous avons payé cher l'affrontement entre grandes puissances sur notre sol.

Pendant la Seconde guerre mondiale, nos compatriotes, à nouveau sollicités, ont contribué de façon déterminante à la victoire alliée. Notre pays et nos soldats ont fortement participé au financement et aux succès de la France Libre du général de Gaulle. Peu de jeunes Camerounais savent le prix que nos parents et grands-parents ont payé pour la liberté des peuples d'Europe et de la France en particulier. C'est bien chez nous, à Douala, que le général de Gaulle a retrouvé la force et l'énergie pour repartir à la bataille contre l'occupant en octobre 1940 après la défaite de ses troupes à Dakar. Il le reconnaît dans ses Mémoires mais nos livres d'histoire et nos manuels scolaires devraient retracer davantage cette contribution du Cameroun à l'édification de la paix mondiale et de la démocratie.

Après les deux guerres mondiales, notre pays a plusieurs fois eu recours à nos soldats pour la défense du territoire national. C'est ainsi que lorsque le Cameroun a été confronté à l'affaire de Bakassi, nos soldats ont été mobilisés à la frontière du Nigeria. Plus récemment, devant les actes terroristes de Boko-Haram, ils ont de nouveau été mobilisés pour neutraliser un ennemi impitoyable qui sème la mort et la désolation chez nous. Beaucoup de nos hommes sont tombés dans les zones meurtrières du Nord-Cameroun. D'autres ont été blessés, parfois grièvement. Nous ne les avons pas toujours récompensés à la hauteur de leur sacrifice.

Nos dirigeants n'ont pas fait tous les efforts nécessaires pour accorder à nos blessés un suivi adéquat et les encouragements qu'ils méritent pour leur engagement sans faille pour la patrie.

Un monument du soldat inconnu et une journée nationale commémorative doivent être institués pour immortaliser le concours salutaire de ces Camerounaises et de ces Camerounais.

Epilogue

Voici raconté un long et passionnant itinéraire, embrassant toute une existence dédiée au service public, celle d'un médecin, devenu homme d'Etat puis homme politique. Un précieux cumul de compétences et d'expériences, associé à de vraies valeurs, renforcées et consolidées par les multiples obstacles auxquels il m'a fallu faire face. Ce personnage aura cristallisé peut-être plus d'admiration que de haine, peut-être au contraire plus de délation que d'estime. Qu'importe ! « Faire et bien faire, et laisser dire », tel est l'axiome de prédilection de l'homme d'action.

Je me devais de retracer ce parcours « suis generis » en sa quasi totalité, dans une respectueuse honnêteté intellectuelle à tous égards, levant ainsi de nombreux pans dits obscurs. Je me devais aussi de partager avec le lecteur les convictions profondes qui auront échafaudé et soutenu les colonnes de ma pensée et de mon action politiques.

L'histoire d'un peuple est toujours inachevée. Il appartient à chaque citoyen de la conduire, de la modeler, en pensée et en actes, vers un destin qui nourrit les rêves et comble les espoirs, en devenant dès aujourd'hui le promoteur d'un avenir de bonheur...

ANNEXE N°1 : pouvoir du président de la République Paul Biya à Monsieur Titus EDZOA du 22 septembre 1994.

République du Cameroun

Le Président de la République

Yaoundé, le 22 SEP. 1994

POUVOIR

NOUS, PRESIDENT DE LA REPUBLIQUE DU CAMEROUN, DONNONS PAR LES PRESENTES, POUVOIR A MONSIEUR TITUS EDZOA, MINISTRE SECRETAIRE GENERAL DE LA PRESIDENCE DE LA REPUBLIQUE DU CAMEROUN,

DE, AU NOM ET POUR LE COMPTE DE LA REPUBLIQUE DU CAMEROUN,

NEGOCIER, PARAPHER TOUS ACCORDS AVEC DES TIERS DUMENT ET LÉGALEMENT MANDATÉS POUR ASSURER LE PAIEMENT DES CRÉANCES QUE LA BANK OF CREDIT AND COMMERCE CAMEROON EN LIQUIDATION DÉTIENT SUR D'UNE PART L'ENSEMBLE DU RÉSEAU DE B.C.C. INTERNATIONAL EN LIQUIDATION ET D'AUTRE PART B.C.C.I. OVERSEAS EN LIQUIDATION.

IL EST EGALEMENT HABILITÉ À SIGNER TOUS DOCUMENTS S'Y RAPPORTANT.

EN FOI DE QUOI NOUS AVONS APPOSÉ À CES PRÉSENTES LE SCEAU DE LA RÉPUBLIQUE DU CAMEROUN.

YAOUNDE, le 22 SEP. 1994

LE PRESIDENT DE LA REPUBLIQUE,

PAUL BIYA

ANNEXE N°2 : arrêté n°142/CAB du président du 8 juillet 1994 créant un Comité de Pilotage et de Suivi des projets de construction des axes routiers Yaoundé-Kribi et Ayos-Bertoua.

...- TRAVAIL - PATRIE

ARRETE N° 142 CAB/PR du 0 8 JUIL. 1994
portant création d'un Comité de Pilotage et de Suivi des projets de construction des axes routiers Yaoundé-Kribi et Ayos-Bertoua.-

LE PRESIDENT DE LA REPUBLIQUE,

VU la Constitution ;

VU le Décret n° 92/245 du 26 novembre 1992 portant Organisation du Gouvernement, modifié et complété par le Décret n° 93/132 du 10 mai 193 ;

ARRETE :

Article 1er.- Il est créé un Comité de Pilotage et de Suivi des projets de construction des axes routiers Yaoundé-Kribi et Ayos-Bertoua, ci-après dénommé le Comité.

Article 2.- (1) Le Comité est chargé de concert avec les Administrations compétentes de :

- la conception générale des projets et la coordination des études y afférentes ;
- la recherche et la sélection des entreprises susceptibles de participer efficacement à la bonne exécution des projets ;
- la mobilisation et la définition du planning de mise en disposition des ressources nécessaires à la bonne exécution des projets ;
- la coordination et le suivi des travaux d'exécution des projets.

(2) Dans le cadre de l'accomplissement de sa mission, le Comité dispose des pouvoirs les plus étendus et rend régulièrement compte de ses activités à la Présidence de la République.

.../...

.../2

Article 3.- (1) Le Comité est composé ainsi qu'il suit :

- Représentants de l'Administration,

MM :

* AMBASSA ZANG, Attaché à la Présidence de la République,

* POKOSSY Camille, Conseiller Technique n° 2 au Ministère des Travaux Publics ,

* NJIEMOUN Isaac, Directeur Général de la Caisse Autonome d'Amortissement,

- Représentants du Groupe Jean LEFEBVRE,

MM :

* ATANGANA ABEGA Michel

* HEYT CLaude

* NANA Eclador.

(2) Les fonctions de Président et Vice-Président du Comité sont exercées respectivement par MM. ATANGANA ABEGA et AMBASSA ZANG.

Article 4.- Le Comité peut faire appel à toute Administration, tout Organisme ou toute personne physique en raison de ses compétences.

Article 5.- Le budget de fonctionnement du Comité est financé par des contributions des partenaires notamment le Groupe Jean LEFEBVRE et, éventuellement, des dons et legs divers.

Article 6.- Dans le cadre de l'exécution des missions assignées au Comité, ses membres peuvent bénéficier de certains avantages ou gratifications.

Article 7.- Le présent arrêté sera enregistré, puis publié au Journal Officiel en français et en anglais./-

Yaoundé, le 0 8 JUIL. 1994

LE PRESIDENT DE LA REPUBLIQUE,

REPUBLIQUE DU CAMEROUN
Republic of Cameroon
LE PRESIDENT
Presidency of the Republic
PRESIDENCE DE LA REPUBLIQUE

PAUL BIYA

ANNEXE N°3 : décret N°94/157 du 4 août 1994 accordant délégation de signature à Monsieur Titus Edzoa, secrétaire général de la Présidence de la République.

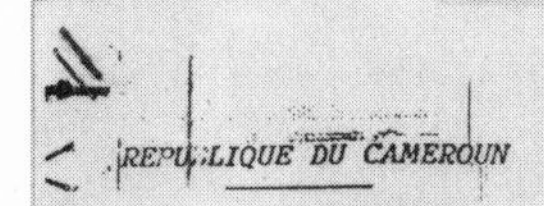

REPUBLIQUE DU CAMEROUN

PAIX – TRAVAIL – PATRIE

DECRET N° 94/157 DU 04 AOUT 1994
ACCORDANT DELEGATION PERMANENTE DE SIGNATURE
A MONSIEUR EDZOA TITUS, SECRETAIRE GENERAL DE
LA PRESIDENCE DE LA REPUBLIQUE.-

LE PRESIDENT DE LA REPUBLIQUE,

VU la Constitution ;

VU le décret n° 92/245 du 26 Novembre 1992 portant organisation du Gouvernement et les textes modificatifs subséquents ;

VU le décret n° 92/070 du 9 Avril 1992 portant réorganisation de la Présidence de la République, modifié et complété par le décret n° 92/246 du 26 Novembre 1992 ;

VU le décret n° 94/142 du 21 Juillet 1994 portant nomination du Secrétaire Général de la Présidence de la République ;

D E C R E T E :

ARTICLE 1er.- Délégation permanente de signature est accordée à Monsieur EDZOA Titus, Secrétaire Général de la Présidence de la République, à l'effet de signer, au nom du Président de la République, toutes pièces et correspondances relatives aux affaires administratives courantes.

ARTICLE 2.- Cette délégation permanente de signature comprend également les actes réglementaires ou individuels concernant :

- l'intégration, l'abaissement de classe, de grade ou la révocation ainsi que la mise à la retraite des fonctionnaires de la Sûreté Nationale ;

- la nomination jusqu'aux fonctions de Directeur-Adjoint à la Présidence de la République ;

- la publication au Journal Officiel lorsqu'elle requiert l'intervention préalable d'une décision présidentielle l'ordonnant.

ARTICLE 3.- Dans le cadre de cette délégation permanente de signature, Monsieur EDZOA Titus discriminera lui-même les affaires qu'il estime opportun de réserver à la signature du Président de la République.

.../...

- 2 -

ARTICLE 4.- Le présent décret sera enregistré puis publié au Journal Officiel en français et en anglais./-

YAOUNDE, le 04 AOUT 1994

LE PRESIDENT DE LA REPUBLIQUE,

PAUL BIYA.